朝日新書
Asahi Shinsho 953

うさんくさい「啓発」の言葉

人“財”って誰のことですか？

神戸郁人

朝日新聞出版

はじめに

「啓発」という単語を見聞きしたとき、あなたはどういったイメージを持つでしょうか？「意識啓発」「自己啓発」などのように使われる機会が多いので、どこか開明的な匂いを嗅ぎ取られるかもしれません。実際、国語辞書を紐解く（ひもとく）と、「人々の気がつかないような物事について教えわからせること」と説明されています（『大辞林 第四版』２０１９年、三省堂）。

誰よりも優れた人間でありたい。ここぞという場面で認められ、称賛される存在になりたい。私たちは日常生活を送る中で、しばしばそんな欲求を抱きます。その傾向は、受験や就職・転職、恋愛・結婚など、何らかの形で第三者に「選ばれる」局面において、特に強まると言えるかもしれません。自らを高めなければ、競争に打ち勝ち、確固たる地位を得ることはできない。まるで、水底から響く声のようなメッセージにさらされた経験が、誰しも一度や二度あるのではないでしょうか。このままではいけない、との危機感に駆られたときにこそ顔をのぞかせる語句が、「啓発」である。筆者は、そう考えています。

書店を訪ねると、いわゆる自己啓発書が、そこかしこに平積みされていることに気が付きます。お金持ちになる。友人から好かれる。頭を良くする……。読み手をせきたてるようにして、人生の質を〝向上〟させるための方法論を打ち出す本の需要が、尽きることはありません。もちろん、書かれている内容を実践し、幸福感を得られるケースも多いのでしょう。一方で、こうも思います。「なぜ、誰に『啓発』への道を歩まされているのか?」と。この問いに、言葉の観点から取り組もうとする試みから生まれたのが、本書です。

市中に出て、周囲を見渡せば、「啓発」の色彩を帯びた表現があふれています。筆者は特に、労働の領域にまつわる造語に注目し、その成立経緯を追ってきました。例えば、「人材」を書き換えた「人財」。企業の採用情報などに、よく使われる一語です。社員を大切にする企業。あるいは、突出した業務処理能力を持つ、掛け替えのない働き手。そんな印象と共に、前向きさと、高い職業意識によって紡がれる、労使の関係を思い起こさせます。同時に、理想的な「人財」になることを人々に対して求める、雇用者の意向も感じられるようです。

一方で、この言葉にまつわるSNSなどの反応に触れてみると、「どうもうさんくさい」「優秀な労働者であることを強いられているような気がする」といった否定的評価にも、少なからず行き当たります。言葉の響きと、世間的な受け止めとの間に、どうして落差が生じるのだろう？　素朴な疑問を抱いた筆者は、企業の主張が掲載された経済誌などを読み、「人財」の背景に流れる思想について調べてみました。すると、現状維持をよしとせず、常に自分自身を更新し続けなければならないという、現代社会を覆う生きづらさとのつながりが、ぼんやりと視界に浮かび上がってきたのです。そして「人財」と呼びかける側と、呼びかけられる側とが、不均衡な形で結びついているのではないかと考えるに至りました。一連の過程に関しては、本書の第一章に詳しくつづっています。

「人財」といった造語には、それを用いる側の働きかけによって、言葉の宛先となる相手の心情を変化させようとする趣があります。こうした語句を、筆者は「啓発ことば」と呼ぶことにしました。あらかじめ設けられた基準に適う（かな）よう、意識を「啓発」する、との特徴が見て取れるからです。では、誰が、何のために「啓発」するのか？　ここでも、先述した問いが頭をもたげてきます。解を求める上で、「人財」以外の「啓発ことば」の用例を採集。その使われ方について論じているのが、本書の第二章～第五章です。

第六章以降では、少し目先を変え、「啓発ことば」的な語彙（ごい）が持つ特性を分解したときに見いだせる要素に着目。様々な分野で活躍されている、有識者の方々へのインタビューを通じて、その本質に迫るまでの軌跡をまとめました。専門知の力を借りて、私たちの心を揺さぶろうとする語句やフレーズの影響力について考察することで、言葉との適切な向き合い方を模索する狙いがあります。軽く構成に触れておいた方が、全体の見晴らしが良くなるかと思いますので、登場人物の概要とキーワードを章ごとにまとめておきましょう。読み進める際の参考にしてください。

第六章：飯間浩明さん（国語辞書編纂者）
↓日本語と、当て字をしたくなる心情との関わり

第七章：今野晴貴さん（NPO法人代表、雇用・労働政策研究者）
↓働き手の搾取を正当化する、「意識高め」な語句の性質

第八章：辻田真佐憲さん（評論家・近現代史研究者）
↓戦時中のプロパガンダと、現代の労働者を奮起させようとする言葉との共通項

第九章：赤木智弘さん（フリーライター）

↓互いに多くのものを求めすぎてしまう、企業と労働者の関係性

第十一章：堤未果さん（国際ジャーナリスト）

↓政治家や企業家が使う、「聞き心地の良い言葉」が覆い隠すもの

第十二章：本田由紀さん（教育社会学者）

↓「コミュニケーション力」など、人格評価の用語が持つ求心力

第十三章：三木那由他さん（言語哲学者）

↓造語を編み出すことで生じる、会話上の効用と弊害

なお、右記の一覧に組み込まれていない第十章ですが、時事問題を題材に「啓発ことば」のありようを見つめています。昨今流行している概念「リスキリング（仕事上の学び直し）」が、権力者によって用いられたときに顕在化しうる、言葉の暴力性がテーマです。本書の全編に通奏低音のごとく流れる問題意識が、ある意味で最も端的に表れているパートかもしれません。

この本は、ちまたに漂う、一見してきらびやかな語句や言い回しへの違和感から書かれました。ゆえに、ときに筆者の個人的な意見や体験も交えながら、前述の各項目に言及しています。場合によっては、論理に飛躍があったり、極言だと感じられたりする箇所もあるかもしれません。該当するような記述に出会ったら、ぜひあなた自身の言語感覚に照らして、「自分ならこう捉える」といった、腑に落ちる見解を導き出していただきたいと思います。本書が、そうした内なる対話のきっかけになれば、望外の喜びです。

ちなみに本文の内容は、朝日新聞社のウェブメディア「withnews」で2021年6月から継続中の連載「啓発ことばディクショナリー」の記事が元になっています。引用データなどについて、一部の記述を更新・補足したものの、原則として出稿当時のままの表記としました。そのため少々古びた情報も含んでいますが、ここ数年で変化した事柄と、そうでない事柄とを比較・検討する上で役立つのではないか、と考えています。連載の開始当初から、現在に至るまでの時間の流れにも、思いをはせていただけると幸いです。

うさんくさい「啓発」の言葉

人〝財〟って誰のことですか？

目次

過酷な現実を覆い隠してしまう言葉／私たちは「生きるため」に働いている

第八章

「総動員」のための〝物語〟――辻田真佐憲さんが説く言葉の怖さ

「人罪」「非国民」響き合うもの／プロパガンダ・三つの構成要件
宝塚少女歌劇団の「軍国レビュー」？／結託した新聞社とレコード会社
権力と楽しさという共通項／流布される「格好いい」職業像
戦時中にも行われたイメージアップ／「安上がりに済ませたい」という「セコさ」
労働に与えられる特別な意味／国がつくった「理想の日本人」像
時代の転換点に生まれるキーワード／魂揺さぶる言葉と距離を取る
企業が望む価値観を注ぎ込む研修／侵略に利用された「教育勅語」
「空気」が人間の心をむしばんでゆく／「内なる戦前」への警戒を怠らない
功名心が持つ光と影／「自己実現」に心乱された就活
「働かねば」と思い詰めた／私たちは〝物語〟と決別できるのか？
ナチズムとの向き合い方から学べること

私たちを取り巻く「力」の意味／「若者の劣化」懸念がトリガーに
「足りなさ」の自覚を強いられる／自助努力に甘える政治の残念さ
「世界一」からの転落が招いた状況／「態度」の強調が意味するもの
「望ましい学び」を押し付ける大人／道徳観が評価されることの意味
自助努力強いる「リスキリング」／労働者への支配欲が強い日本企業
「言葉の解像度」に敏感になる意義／差別をはらむ「コミュ力」
級友が言い放った絶望的一言／「コミュ力」が本当に評価するもの
一つの集団に固執しない

第十三章　「社員は宝と言うけど…」
――三木那由他さんが思う造語の危うさと希望　215

心を動かすため、言葉を改める／言い換えで本当に変わるもの
「嗜好」と「指向」が示す意味の落差／造語が社会にもたらす多様性
私たちは話しながら「約束」する／言葉の意味が歪められる暴力
多様な人々と言葉を磨く／「啓発ことば」が濃くした『ゲ謎』の陰影

第一章　「人材」じゃなくて「人財」？

――働き手を選り分ける言葉の起源

当社は「人財」をお待ちしています——。求人広告などを読み、そんな文言が目に入った経験はないでしょうか。『人材』の誤記？」と思いきや、さにあらず。アルバイトの採用基準から事業説明まで、企業が発する様々な情報に含まれているのです。地下鉄の広告で、偶然目にした筆者は、その使い方に疑問を持ちました。一体、どんな経緯で社会に広がったのか？ 経済関連の書籍を手がかりに調べてみると、人々が好景気の恩恵を得ていた、高度成長期にルーツがあると分かりました。

地下鉄の広告に躍る「人財」の二文字

筆者が「人財」の二文字を意識したのは、2020年夏のことです。通勤のために乗り込んだ地下鉄で、何の気なしに見た、ある人材派遣業者の広告。目をやると、次のような趣旨の文章が載っていました。

「私たちが選りすぐった人財の力で、御社の業績アップに貢献します」

人に財産の「財」を組み合わせるなんて、大げさだなぁ。新型コロナウイルスがはやって、経営の先行きが見通せない企業が増えているためだろうか……。

そういぶかしんだ瞬間、昔の記憶がよみがえりました。学生時代のアルバイト先が、求人誌の募集要項で、全く同じ用語を使っていたことを思い出したのです。筆者は当時32歳。

少なくとも、10年以上前には存在していた計算になります。

にわかに気になり始め、ネット上で「人財」と検索をかけてみると、出るわ、出るわ。「人財を活かす」「会社は人財が資本」「人財を重視せよ」。ありとあらゆる企業のホームページや、働き方にまつわるポータルサイトに、これでもかと躍っていました。

用例の「見本市」とも言うべき状況に驚きつつ、筆者の心の内で、疑問がむくむくと頭をもたげてきます。

「一体、誰にとっての、何のための『財』なんだろう?」

52年分、419冊の経済系書籍を分析

「人財」という言葉について、企業活動と切り離して語ることはできません。もしかしたら、景気の変化と、言葉としての広がり方は関係しているのではないか。そう考えて、国会図書館で経済関連の専門誌や単行本を調べてみました。

国会図書館の書籍検索画面で「人材」「人財」と打ち込むと、1000冊弱の雑誌や単行本のタイトルが表示されます（2020年末時点）。このうち働き手を「人財」と表現している資料を抽出。1968〜2020年の52年間に発行された計419冊を分析対象としました。

どうやら「人財」を巡る歴史は、思っていたよりも長そうです。まずは、日本経済が上り調子だった高度成長期に、どのように扱われていたか見ていきましょう。

人材をコストと捉えた高度成長期

筆者が最初に開いたのは、1968年に刊行された『設備投資の経営学』（実業之日本社）です。著者の奥村誠次郎さんは、「人財勘定とマン・パワー」と題した章で、人材をコストと捉える「人財勘定」の概念について説明しています。

終身雇用を前提として、企業が社員に定年まで支払う人件費と、固定資産や設備投資の金額とを比べてみる。投じた費用を回収し、業績を最大化するには、社員にどの程度活躍してもらわないといけないか――。内容は、おおよそ、そのように要約できます。

この時期の日本は経済発展に沸いていました。64年開催の東京五輪も追い風となり、各地でインフラ整備などが進み、社会全体の景色が様変わりした頃です。内閣府によると、60年代の年度別国内総生産（GDP）は、名目・実質とも前年度比で二桁前後の高い伸び率となっています。

事業にお金をかけた分だけ、利潤が生まれる。好景気に対する揺るぎない信頼は、働き手をも「投資」の対象とみるスタンスを、世に広げていきました。

社会が敗戦から立ち直る過程で、「企業戦士」「モーレツ社員」といった流行語が生まれたことは有名でしょう。「サラリーマンは労働に没頭するものだ」。そんな考え方が当然視される時代が到来し、優秀な働き手である「人財」の価値は、ぐんぐん高まっていったのです。

「自己啓発」の資源を提供する企業

そしてこの時期、「企業の期待に、進んで応える労働者こそが理想的」との認識が、社会で広く共有されていたことを示す資料も残っています。

『実業の日本』69年5月15日号（実業之日本社）の特集「能力開発制度 自己申告が咲かせた〝人財〟の花」が、その一つです。要点に触れてみましょう。

文中では、成長を求め続ける労働者を「人財」と定義。その上で、企業が行う「人材教育」の様子が紹介されます。

閉店後に実施する会計講座や英会話レッスン。業績を上司に自己申告し、人事評価に反映する考課制度――。企業は「自己啓発」の資源を提供する存在として描かれます。まるで、孵化（ふか）しようとするひなのため、卵の殻を外からつつき助ける親鳥のように。

ここで前提となるのは、あくまで自助努力です。特集を締めくくる一文は、企業側の視点を、シンボリックに表していると言えるでしょう。

能力開発は経営側の要請だけではない。個人が枯死した〝材木〟にならないための成長促進剤という意味もあることを、ビジネスマンは知るべきだろう。

――『実業の日本』1969年5月15日号

生き馬の目を抜くような、激しい企業間競争に打ち勝ち、事業の規模を拡大する。そのために、自己研鑽(けんさん)を怠らない。そんな「人財」像が、一連の資料から見て取れます。

一方で、時間とお金をかけて働き手を育てようとする企業側の姿勢も垣間見えました。「社員を一人前に育てるのが雇用者の責任」という認識が、明確に共有されていたことの裏返しと考えられそうです。

その意味で、高度成長期の「人財」イメージは、経営者・労働者それぞれが、双方向的につくり上げたものと言えるかもしれません。

終身雇用を「ぬるま湯」と批判する社長

高度成長期には、空前の好景気を背景として、労働者を「投資」対象と捉える企業が増えていきました。時間とお金をかければ、人材は優秀な「人財」に変わる。そのように、ゆったり構えるだけの余力が、経営者側にも残っていたのです。

しかし、二度のオイルショックを経て、日本経済は減速局面に入ります。低成長ぶりが顕著になった1970年代末~1980年代、働き手に注がれるまなざしは、鋭さを増していきました。

この時期、「人財」を巡る語りの中に登場したキーワードが、主に二つあります。①日本型雇用制度の否定、②高度情報化と能力主義の進展です。当時流通していた経済誌を読むと、情勢がよく理解できるでしょう。

『先見経済』84年 新年特大号(清話会)を見てみます。あるメーカーの社長は寄稿文で、今後は従来ほどの経済成長が望めないと指摘。生産現場へのコンピューター導入などの変化も挙げ「人材を『人財』たらしめ、その頭脳を資源化していかなければならない」としました。

更に、終身雇用を「ぬるま湯的温情主義」と批判した上で、社員個人の能力向上を訴えています(①)。

「人財格差は企業格差をもたらす」

よく似た主張は、別の経済誌にもみられます。一例が、『月刊総務』84年7月号（池田書店）に掲載された、日本総合研究所主任研究員（当時）・江口泰広さんのコラム「戦略体質の再構築」です。

江口さんは、通信衛星などを介して市場が国際化すると予測。そして企業が、自社サービスユーザーの多様なニーズを押さえる重要性を説きます（②）。更に「最大の安定はイコール変化すること」「情報格差が企業格差を生むように、今後、人財格差は、それ以上に企業格差をもたらすであろう」と経営手法の刷新を呼びかけました。

東京商工リサーチの「倒産件数・負債額推移」によると、84年には企業の倒産件数が2万件を突破し、統計が残る52年以降、過去最多に。足元の不安定さが増し、各社とも生き残り戦略を考えざるを得なくなります。

やがて企業側からの働きかけに頼ることなく、仕事のスキルを高められる働き手を「人財」とみる空気が、経営者層の内側で強まっていったのだと思われます。この頃を境に、キャリア形成の重心が、組織から労働者個人に移ったと言えるでしょう。

経済低迷で登場、複数の「ジンザイ」

ところで、80年代後半以降、各経済誌が盛んに使い始めた用語があります。「人財」以外の文字で表記された、新たな「ジンザイ」です。筆者が確認した限り、おおよそ3種類ほどに大別できました。

「人罪（やる気がない上、企業の発展を阻害する社員）」
「人在（目立った業績を残さず、ただ会社にいるだけの社員）」
「人剤（スタッフ間の調整を行ったり、周囲の人々を元気づけたりする＝「薬剤」的役割を担う社員）」

まずは社内の人材を、経営者視点を持つ「人財」や「人剤」に変える。そして「人在」と「人罪」は、極力排除すべきである——。労働者の間に線を引く傾向は、バブルが崩壊した90年代以降、一層強まっていきました。

要因の一つと考えられるのが、労働力の流動化です。

製造業を中心に、産業の地盤沈下が進み、完全失業率も上昇しつつあった94年。『実業の日本』同年10月号は、「買われる『人財』捨てられる『人材』」と題した特集を組んでいます。不況下に、経済の「川上」で起きた現象を詳報する内容です。

内需が縮み、大企業でリストラが進む反面、中小企業が雇用の受け皿になっている。ただし、肩書きに固執するベテランは必要ない。商品開発・経理などの実務能力に長けた、専門性ある若手こそ輝けるのだ——。

文中では、中小企業採用関係者らの、そんな本音が紹介されます。

「自己責任」に基づく労働者観

ここから読み取れるのは、「自己責任」を基本とする労働者観です。企業や市場が求める能力を、どれだけ積極的に高められるか。社外活動・転職も視野に、キャリアを組み立てられるか。従来は組織に任せていた人生行路づくりが、個人の責務になったと言えます。

他方、働き手の間では、処遇の格差が広がりつつありました。安価な労働力や、人件費の抑制を求める経済界の声を受け、派遣労働者が増加。やがて二重派遣、契約の短期化といった問題もクローズアップされるようになります。

「人財」が薄める現実の複雑さ

1988年生まれの筆者は、日本の経済発展を知らずに育った世代の一人です。学生時代、派遣アルバイトに就いた経験もあります。複数の職場で働くうち、たくさんの「同僚」たちと出会いました。

何個もバイトを掛け持ちし、やっと食いつないでいる人。派遣先企業で仕事上のトラブルに巻き込まれ、退職を余儀なくされた人。それぞれが苦しい状況に置かれ、自らのキャリアを考える余裕など、全くないように見えました。

職場というステージで軽やかに舞う「人財」と、そこからこぼれ落ちる「人材」。そのような二極化が著しく進んだのが、高度成長期以降の時代だったのだとすれば、筆者が知り合ったのは後者の人々かもしれません。

彼ら・彼女らの境遇には、様々な要因があったのでしょう。家庭の事情でパラレルワークが常態化していたり、性格が職場の雰囲気と合わなかったりと、背景は一様でなかったはず。裏を返せば、当人たちの努力だけで、何とかなるものでもないのです。「人財」が持つ響きには、こうした現実の複雑さを、薄めてしまう側面がないか。90年代までの使われ方を振り返る中で、筆者は疑問に思いました。

この点について深く考えることで、現代社会を覆う息苦しさの本質に、行き当たれる気がしています。

労働力が流動化、教育研修は盛んに

ここまで見てきたように、日本社会では1990年代を境に、仕事の能力向上を、働き手個人に求める傾向が一層強まりました。景気低迷の影響で、多くの企業がリストラを実施。結果的に、専門性を持ちキャリアの幅を広げる人、就職難に直面する人と、労働者間の処遇格差が拡大していきます。

とはいえ、こうした状況下でも、企業側が社員教育を放棄したわけではありません。特に若手労働者の離職率が高まり、パート・アルバイトの定着が課題となった2000年代以降、経済誌では研修関連の企画が多く組まれました。

例として、『企業と人材』07年7月20日号（産労総合研究所）を挙げてみましょう。同号の特集では、大手企業を中心に、社員向けの体験型研修が広がっている状況について報告。山ごもり修行、海外への「研修遠足」といったプログラムを、自ら考えて動く「人財」を育てる方法として好意的に取り扱っています。

社員間の人間関係が希薄化し、企業への忠誠心も失われる中で、何とか組織に対する愛着を深めて欲しい——。そんな経営者の思いと共に、受け身ではなく、積極的にスキルアップを図るという「人財」像が、ここでも映し出されていると言えそうです。

経済誌に見え隠れする「メシア待望論」

近年、働き手を大切にしようとする機運が、従来以上に盛り上がりつつあります。残業規制や育児休暇制度などを導入する企業の増加は、その表れと考えられるでしょう。

他方、それぞれの企業が掲げる「理念」に親しんでもらうことで、社員の一体感を育もうとする取り組みも健在です。

社訓を英訳し、海外の事業所で共有する。地域での職業体験事業への参加を通じ、従業員に社是の精神性を浸透させる。各社のそうした取り組みにフォーカスする経済誌の企画は、現在に至るまで量産され続けています。

労働力の流動化が進み、一つの企業に勤め上げることが必ずしも一般的ではなくなりつつある昨今。人材の囲い込みに努める経営者たちの動きは、ある種の「揺り戻し」とも言えるかもしれません。

こうした流れを経て、「人財」という用語は、あらゆる層に普及していきました。ここ数年に限っても、看護や飲食、流通に小売業と、様々な業界誌が言及。正社員に加え、非正規労働者、在日外国人、女性など、多様な人々を即戦力化すべきとの論調も目立ちます。

低成長の状況下でも、業績に好影響を及ぼしてくれる……。各誌で説かれる「人財」像は、「メシア（救世主）待望論」とも言うべき願望を、少なからず伴うように思えます。だからこそ、「必ずしも労働者本位で使われてきた言葉ではない」点に留意が必要でしょう。

ビジネスと自己啓発本の共通点

52年分、419冊の経済系書籍を読み込む中で、筆者は「会社は人なり」という言葉を、たびたび目にしました。企業活動を営む上で、働いてくれる人々は不可欠であり、大切にしなければならない。そんな意味合いで用いられ、「人財」とセットで登場することも珍しくありません。

なるほど、とうなずきつつ、微かな違和感も覚えました。「働き手を緩やかに選別する意図はないのだろうか」と。

企業が事業を続けるため、業務の効率化や、生産性向上を図るのは当然です。労働者に対して、職務に必要な力を高めるよう求めることも、何らおかしくはありません。一方で働き手は、仕事上の成長を絶えず要請されます。このメッセージを重く受け止め過ぎると、過重労働や生きづらさにつながりかねません。これは既に、多くの人々が実感するところでしょう。

筆者はこれまで、いわゆる「自己啓発本」にまつわる取材も続けてきました。多くの書籍に共通するのは、現状維持の否定と、行動や習慣を変えることの意義を説く点です。

自らの意見に同調し、従えば、より豊かに生きられる――。自己啓発本の著者たちは、読者にそう迫ります。これは見方を変えれば、著者らが理想とする「人財」像に、読み手自身を適合させる要求とも言えます。心のありようは、意志により操作可能である。同様の主張は、今回分析した経済誌にもみられました。ビジネス的・自己啓発本的な思考は各々、相似形をなしているのです。

「人財」表記に企業が込めた願い

こうした図式は、インターネット空間にも見いだすことができます。

例えば、著名人などが組織するオンラインサロン。ビジネスプランの考案といった、様々な課題をこなし、起業を始めとした「独り立ち」を目指す。そんな趣旨で運営されることが少なくありません。

一方、「主宰者に認められたい」との思いが、参加者を振り回すことも。終わりなき承認競争の中で疲れ果て、心をすり減らした末、退会した経験談をブログなどにつづる人も存在します。

「認められたい」という欲求を煽るスパイラル。SNSのタイムライン上に流れてくる「結婚した」「有名企業に転職できた」といった友人・知人の近況報告が、それを一層増幅させていきます。

「人財」を巡る考え方も、よく似た色彩を帯びているかもしれません。企業に対し、「成長できるか」「仕事ができるか」という観点から、働き手の人間性を評価するよう促すからです。その結果、労働者たちは、企業が求める「人財」の指標に縛られてしまいます。このような特徴を持つ点で、「人財」は一連の自己啓発的な営みと、地続きであると言えそうです。

日本経済が漂流する時代に成長した、「人財」という概念。それは組織の生き残りを賭け、労働者の雇用と、「どれだけ業務に役立つか」という功利的視点とを両立させたい、企業側の「選民主義」を象徴しているように思えます。この言葉の呪力と向き合うことは、社会の閉塞感のありかを診断する、一つの手立てになるのではないでしょうか。

第二章　「頑張る」が「顔晴る」に
――現代人をむしばむ〝努力至上主義〟

「どんなときも、諦めずに頑張れ」。これまでの人生で、そう言われた経験がない人を探すのが難しいくらい、よく耳にするフレーズです。そんな「頑張る」という言葉を、「顔晴る」と言い換えた表記を目にしたことはないでしょうか？　仕事に趣味、家庭生活や人間関係。あらゆる場面において、「よりよい状況をつくりだすこと」を求められるのが現代社会です。「顔晴る」の使われ方を調べてみると、常に努力を強いられる中、心の「ガス抜き」を願う人々の胸の内が見えてきました。

「毎日顔晴るあなたに…」深まる謎

筆者が「顔晴る」を知ったのは、8年ほど前のことでした。ある日訪れた居酒屋の店内で、こんな風につづられた貼り紙を見かけたのです。

「毎日顔晴るあなたに、最高の休息時間をお届けします」

瞬間的に、脳内でたくさんの「?」が飛び回りました。それからしばらくして、新聞を読んでいたときのこと。スポーツ面の記事に目を通すと、また「顔晴る」と書かれているではありませんか。しかも、一度や二度ではない。意外とメジャーな表現なのか……と驚いたものです。

確かに、どこかポジティブな印象を受ける言葉ではあります。好まれるのも不思議ではないでしょう。でも、なぜ市民権を得たんだろう？　筆者の中で、にわかに興味が湧いてきました。

企業の「強壮剤」となってきた

新聞に載るほど普及した言葉なら、他のメディアでも使われているかもしれない。そう考え、新聞や雑誌などの記事検索サービス「日経テレコン」を使うことにしました。

今回は一般紙やスポーツ紙、ビジネス誌などで確認できた、70点ほどの代表的使用例を収集、分析。その結果、「顔晴る」が紙上に現れ始めるのは、2000年代中頃だと分かりました。

例えば、2005年1月18日付の日本食糧新聞。食品卸大手・日本アクセス　中部支社、後藤征一支社長（当時）の、こんなコメントを報じています。

> 誰もがよく「頑張る」という言葉を使うが、何を頑張るのか。私の頑張るという文字は「顔晴る」。「顔が晴れる」と書く。社員全員が晴れやかになる仕事をしていきたい。
>
> ――2005年1月18日付　日本食糧新聞

記事によれば2004年、自然災害・経済情勢の悪化などのため、食品業界全体が苦境に陥りました。だから、地域の小売業者との連携を強めつつ、事業規模も広げなければならない……。後藤さんは、そう語ります。

同紙は2005年7月18日付の紙面においても、後藤さんの発言を紹介しています。「頑張れば自然と笑みがこぼれ、晴れやかな笑顔を交わすことができる」として、支社の経営基盤を固める上でのキーワードに「顔晴る」を挙げました。

2015年7月24日付日刊工業新聞の、損保ジャパン日本興亜（当時）幹部へのインタビュー記事も取り上げてみましょう。

記事によると同社では、本社内にできた新部署のメンバー向けに、「顔晴る」のメッセージを採用。「意思統一を図る目的で、現場力向上のため」「常に表情を明るく、組織全体が前向きになれるように」との思いが込められているといいます。

事業の継続と、働き手の成長。企業活動においては、それらの目的を達成する上で、「強壮剤」として使われてきた言葉であると捉えられるかもしれません。

アスリートが多用する理由とは

そして「顔晴る」は、スポーツの話題とも相性が良いと言えそうです。今回調べた用例全体の、4割近くを占めています。

特によく言及されていたのが、2010年代の新聞記事に掲載されていた、亜細亜大学硬式野球部・生田勉監督（当時・2023年6月に退任発表）のエピソードです。障害がある長女が、その笑顔によって人生を切り開いたことから、「顔晴る」をチームの目標に。2015年には大学野球の明治神宮大会で、2年ぶりの優勝を果たしました。

教え子にまつわる情報も、頻繁に登場しました。同大出身で阪神タイガースの板山祐太郎選手（現・中日ドラゴンズ）は、生田監督の教えを支えにしていると語ります。


「難があるから〝有り難う〟。顔が晴れると書いて〝顔晴る（がんばる）〟。うまくいかなかった時にそういう気持ちになれるようにしたい」

——2018年5月13日付 デイリースポーツ

右記の記事は、板山選手が成績不振で2軍への降格を経験したことに触れつつ、「顔晴る」を座右の銘としていると伝えます。

つらいときこそ、爽やかに笑い、前を向く。スポーツ記事では、そんな文脈で、「顔晴る」が使われることが多いようです。しかもプロ・アマの区別や、種目の枠を超え、様々な選手が異口同音に用いていました。アスリートたちは、常に競争にさらされます。結果が出せなければ簡単に地位を失う厳しい世界です。たゆまぬ努力により、自らの限界を更新すべき状況で、「負ければ後がない」という不安と闘わなくてはなりません。

「顔晴る」が持つ響きは、そのような過酷さとは一線を画します。だからこそ、現実に風穴を開ける効果を期待されているのではないか――。筆者は、そう思いました。

危機に陥った人々が「顔晴る」にすがる

使い手の過酷な生活ぶりが垣間見える「顔晴る」の用例は、一般の人々の文章にも見いだすことができます。

2019年1月5日付の愛媛新聞に、ある学校生活支援員の投書が載っていました。「息をするのが苦しくなったり表情がゆがんだりするくらい頑張るのは少しつらくなってきた」と打ち明ける内容です。

心の糧が、勤め先の先生から教わった「顔晴る」。「今日はやりきった。明日も頑張ろう」と思えたら、私の顔は晴れ晴れとしているはず……。そんな風に日々を過ごしつつ、新しい一年を乗り切りたいと結んでいます。

また2012年2月19日付の東京新聞に投稿された、認知症の夫を支える友人のエピソードも象徴的です。友人は元々、周囲から「頑張って」と声をかけられるたび、思い詰めていました。しかし「顔張る」と捉え直し、笑顔になるよう意識した結果、段々と柔和な表情に。やがて「主人に対しても以前より優しくなれた気がする」と言えるほど、気持ちが安定したといいます。

「人生のままならなさ」を棚上げする機能

いずれの主人公にも共通するのは、言葉を通して、現実の解釈を編み直している点です。自らの力だけでは抱えきれない、生きることのままならなさを、いったん棚上げする。そのことにより、心に余白をつくっているのだ、と考えられそうです。

その意味で「顔晴る」は、単なる「頑張る」の言い換えではありません。「責任をもって、人生をより良くしようと努め続けるべき」という、世間的な要請を柔らかく受け止めるための緩衝材として機能しているのです。

ただし第三者が「顔晴ろう」と迫れば、また別の暴力性を帯びてしまうでしょう。言われた側が感じている苦悩を、無視することにもなりかねません。「顔晴る」が救いとなるのは、あくまで当人が、その言葉を欲したときだけと言えます。

〝努力至上主義〟とでも表現すべき風潮が強まる中、一種の自己防衛機制として成り立つ言葉「顔晴る」。楽天的なようでいて、私たちが暮らす社会の今を鋭く映し出す、興味深い語句だと感じました。

第三章

仕事を「志事」と呼ぶ理由は？・
——働く厳しさマヒさせる〝言葉の麻薬〟

「仕事を『志事』にしよう」。様々な職業人の発言に触れる中で、そんなフレーズを見聞きする機会があります。勤労への意欲を保つには、高い志が必要だ——。力強い考え方を示しているようでいて、あえて一般的な語句の字面を改める点に、どことなく違和感も。その使われ方を調べてみると、自社や業界のイメージアップを図りたい、企業側の〝ある狙い〟が浮かび上がりました。

明るい未来を思わせる語感

「人材」を「人財」と書き換えたり、「頑張る」を「顔晴る」と表記したり——。ここまで見てきたような言葉を、筆者は「啓発ことば」と名付け、社会全体に広がった経緯について調査してきました。

そして執筆記事に対するインターネット上の反応を眺めるうち、気になるコメントが目に入りました。ぜひ、「志事」も取り上げて欲しい——。そんな感想が、複数飛び交っていたのです。

成り立ちが知りたくて、検索エンジンに「志事」と打ち込み、表示されたウェブサイトの解説文を読んでみました。どうやら「仕事」が基になっているようです。「私事（身勝手な仕事）」「死事（嫌々する仕事）」と書き分けられることも判明しました。

そもそも、筆者にとっては未知の言葉。まず、どのように用いられているか把握しなければなりません。手始めに、マーケティングリサーチツール「Brandwatch」を活用し、関連ツイート（現・Xの「ポスト」。以下同様に表記し、Xは原稿執筆当時の呼称「ツイッター」に統一）の傾向を探りました。

２０２１年6月4日〜7月3日につぶやかれた、「志事」を含む日本語ツイートを抽出すると、１５０６件表示されます。投稿を解析したところ、「感謝」「幸せ」「笑顔」などの単語と共に登場する頻度が高いと分かりました。

「仕事を志事にしなさい」「志事が世界観を変えてくれる」――。一連の文章は、明るい未来を想像させるものばかりです。一方で、読む人に自己変革を迫るような響きも伴っています。一体、何に由来するのか？　その点を明らかにするため、より幅広く用例を集めることにしました。

自己実現と社会発展を媒介

筆者は次に「日経テレコン」で、本文や見出しに「志事」と書かれている記事を探してみました。見つかったのは２３７件。２０１８年2月7日発行の地方紙2紙が初出で、比較的新しい表現であると分かります。

同日付の上毛新聞の短信では、ＮＰＯ法人事務局長による、中学生向けの特別授業での発言が引用されていました。海外での職務経験から感じた、働くことの意義を、生徒たちに語るという趣旨です。

仕事は「望む社会を実現できる。私にとっては〝志事〟と表現できる」と強調した。

——２０１８年2月7日付　上毛新聞

自己実現と、社会発展を媒介するものとしての「志事」。そのような認識について、より明確に伝える話題もあります。

地域の課題解決に取り組む人材育成のため、三重県の企業や行政が組織する団体「夢・志事塾」。その設立総会で、辻保彦塾長はこう話しました。

「今こそ地方には強い志を実現させる人財の育成と活躍の場をつくることが急務。夢を語り合え、積極的に行動を起こせる人財を育てたい」

——２０１８年5月14日付　中日新聞朝刊 地方版（三重版）

右記のコメントからは、辻塾長が「志事」を人口減少の改善や産業振興といった、地元をもり立てるための策の一つと捉えていることが見て取れます。そしてここでも、「夢」「行動」など前向きなイメージの言葉と結びついているのです。

林業を営む女性の記事から見えること

辻塾長の発言にもみられるように、危機的な局面を打開したいとの願いが、「志事」に重ねられる事例は少なくありません。宮崎日日新聞が報じた、宮崎県知事選関連の連載企画が、とりわけ象徴的です。

２０１８年12月15日付朝刊の特集記事には、同県美郷町で、林業を営む女性が登場。担い手不足を背景に、伐採後の林地残材を使ったおもちゃ作りや、女性も就労しやすい環境の整備に取り組む様子が点描されます。

同紙は、これらの活動について、女性の心情を代弁する形で「先祖から日本を形づくってきた山と文化を後世につなげる〝志事〟と表現しています。その上で「『稼げて』『かっこいい』『環境保全につながる』を林業の新たな３Ｋにしたい」という女性のコメントを引用し、本文を締めくくりました。

林野庁の「令和2年度 森林・林業白書」によれば、２０１５年時点の女性林業従事者数は2750人と、全体の6％ほどに過ぎません（2020年は2730人）。他業種と比べて高い労災発生率や、重労働を強いられる印象が禍し、若手労働力の取り込みも滞り気味です。

宮崎日日新聞の記事は、こうした状況を踏まえ、林業そのもののイメージアップを図ろうとする現場の試行錯誤について伝えています。業界の浮沈を巡る話題の中で、「志事」が用いられたことは、注目に値するでしょう。

「志事」が隠す負のラベル

興味深いことに、他業種にまつわるニュースにおいても、似たような状況が観察できます。2020年6月18日付の日本経済新聞電子版に掲載された、人材派遣業者にまつわる記事について確認しましょう。

コプロ・ホールディングス（本社・愛知県名古屋市）は、建設業者向けのサービスを展開しています。余剰人員の削減を目指し、採用を抑える企業側と、人手不足に悩む作業現場のニーズに応え、経験豊富な技術者を派遣。06年の創業以来、増収増益を達成してきました。

同社の社員教育に触れるくだりでは、清川甲介社長の、こんな発言が紹介されています。

「人材派遣業は他の業種に比べ離職率が高い。ただし採用側の責任として、それで良いのかという疑問があった。私の座右の銘は仕事ではなく『志事』。高い志を持って事を成すという意味合いで、その理念に共感できる方と一緒に長く働きたいという思いがあった」

――2020年6月18日付　日本経済新聞電子版

清川社長は事業の拡大に伴い、社員や技術者に対する教育機会を増やし、定着率を向上させたと語ります。そして改革のキーワードとして、「志事」を挙げたのです。一般に激務と捉えられがちな人材派遣業。また登録者の「派遣切り」「雇い止め」といった問題が、批判の的となる機会も少なくありません。負のラベルを取り除き、業界に対する人々の心象を良くしたい。清川社長のコメントには、そんな意図が含まれているように思われます。

心の痛覚をマヒさせる言葉

以上の事例から見いだされるのは、「志事」が持つ、ある種の〝麻薬性〟です。

多くの場合、不況や人材の枯渇などにより、苦境に陥った職業人たちが、この語句を用いていました。林業・人材派遣業の関連エピソードが示すように、過酷な仕事内容が想起されやすい職場で、特に好まれる傾向があるとも言えそうです。

「志事」が醸す明るい雰囲気は、そうした現実を、いっとき忘れさせてくれるようです。志という〝漂白〟された言葉で、心の痛覚をマヒさせ、働く厳しさを和らげる。いわば、現実を生きるための強壮剤として機能しているように見えます。

この営みは自らを鼓舞し、健康的に職務と向き合う原動力となる限り、許容されるべきです。一方で、経営者側が労働問題を放置したり、問題のある状況を肯定したりするための方便となる危険も、常にはらんでいます。

誰が、何のために、仕事を「志事」と呼びたがるのか。その問いを深めることは、私たちが住まう社会の輪郭を、明らかにする手立てとなるのかもしれません。

第四章　「企業」から「輝業」へ

――平成期の〝成功神話ブーム〟

経済誌などの記事を眺めていると、しばしば「輝業」という単語と出会います。新たな事業を興したり、挑戦的な仕事に取り組んだりする組織・個人を、たたえる文脈で登場する言葉です。「企業」や「起業」の言い換え語とされ、平成期から用いられてきました。どのような背景から社会に広まったのか？　調査した結果、時代の変化に取り残されまいと〝成功物語〟を求め続ける、現代人の心の動きが垣間見えました。

果敢な働き方を肯定するような語句

「輝業」について知るきっかけとなったのは、2021年7月16日に実施した、ツイッターの音声配信サービス・スペース上での会話です。「啓発ことば」が、なぜ量産され続けるのか。「成長」をテーマに、創作活動に取り組む漫画家・紀野しずくさんと語らいました。意見交換の途中、「実は調べてほしい言葉があるんです」と話した紀野さん。連載作品で「輝業」を取り上げるので、使われるようになった理由が知りたい……とのことでした。

字面からは、積極的で、果敢な働き方を肯定するニュアンスが感じ取れます。単調な労働ではなく、世間に認められるような、価値ある事業に挑戦しなさい——。「仕事」に由来する語句「志事」の意味合いと、どこか響き合うようです（第二章）。

労働を通じた自己実現への信頼感を表している印象も強い、「輝業」という語句。その成り立ちに迫るため、筆者は用例を集めることにしました。

〝危業〟が示唆する〝輝業〟の本質

手始めに、新聞や雑誌などの過去記事を調べてみました。「日経テレコン」で、「輝業」と検索してみると、表示されたのは399件のコンテンツ。最も古いものが、1990年に公開された外資系企業幹部へのインタビュー記事です。

同年10月3日付の日経産業新聞は、米国系トイレタリーメーカー・ジョンソンの上田和男常務（当時）の発言を報じています。上田さんは、ユーザー本位で事業を展開する大切さを説きつつ、次のように語りました。

「メーカーもいつまでも製造だけしていればいいという考え方ではダメだ。〝危業〟になってしまう」（中略）「選ばれるというのは、喜ばれること。消費者に喜ばれる〝喜業〟となって、いつも輝いている〝輝業〟をめざしたい」

――1990年10月3日付　日経産業新聞

上田さんによれば、当時の同社は認知度向上が課題でした。購買層を厚くする上で、消費者とのコミュニケーションを図る戦略を描いていたとみられます。そのスタンスは、商品開発に重きを置く、昔ながらのメーカーのあり方と異なると考えていたようです。

記事の中で、旧態依然とした商習慣になじむ企業を、〝危業〟と表現した点は注目に値します。〝輝業〟という語句が、これとは対照的に、時流を読んで経営体制を刷新できる組織を指す、と示唆されるからです。

「受け身」を厳しく批判する識者

〝危業〟と〝輝業〟の組み合わせは、別の媒体でも確認できました。

1998年4月5日、神戸市と淡路島を結ぶ、明石海峡大橋が開通。その前日にあたる4月4日、愛媛新聞は、橋が四国地方に与える影響について読み解く記事を公開しています。同地方の風土を保守的として批判する段落で、経済研究家の男性の声を引きました。

「『やられる』と考える発想の方向性こそが、実は倒産の危機であり淘汰（とうた）される要素だ」。中村は明石海峡大橋が開通する今年が、徳島県の企業にとって「輝業」と「危業」の分岐点だという。橋が来てつぶれる会社は、橋が来なくてもつぶれる——。こうまで直接的には言わないが、中村はそんな意味合いの話で締めくくった。

——1998年4月4日付　愛媛新聞

同記事は、地元企業人らが、架橋後の経済はどうなるかと心配していることにも言及。男性は、これを問題視します。「そうじゃない。（筆者註：橋を）『どう使いますか』と考えるべきだ」。そのような厳しい口調で、域外との交流を呼びかけたのです。

橋の整備を好機と捉え、事業を創出・拡大できる企業は「輝業」である。反対に変化を毛嫌いし、内向き志向のままでいる企業は、「危業」として前線から撤退するしかない——。記事において、このような具合で、それぞれの言葉が使われています。

1990年代、バブル崩壊やサービス業の伸展を経て、国内産業は大変革期を迎えました。経済のグローバル化により、働き方の流動性が強まり、終身雇用制の衰退が加速した側面もあります。企業活動に及んだ影響は、無視できないものでした。

日本の発展を主導してきた会社が、産業構造の変化などで打撃を受ける。その余波が全国に及び、地域経済の土台を揺るがす……。こうした流れの中で、時代に合った働き方を模索する個人や組織を、好意的にみる風潮は強まっていきました。

日本経済新聞関係者が講演で語ったという、「これから生き残れる企業は〝輝業〟とお客様を満足させる〝喜業〟のみである」（1997年6月8日付　沖縄タイムス朝刊）との発言は、かつての経済界関係者の心象風景を象徴していると言えるでしょう。

新聞紙面で起こった〝輝業ブーム〟

2000年代に入ると、こうした社会情勢を受ける形で、各種メディア上に興味深い動きが起こります。ユニークな取り組みを続ける、地方企業の活動を追う目的で、「輝業」の名を冠した連載が始まったのです。

例えば毎日新聞は2005年1月、岩手県版の紙面で、「輝業人たち：オンリーワンへの途(みち)」と題した特集をスタートさせました。地場産業の振興に力を入れる県内企業と、そのトップたちの来歴について伝える内容です。

特集に登場する、あるメーカーの社長は元々、別の工場で働いていました。しかし業績悪化を理由に、勤務先が閉鎖されてしまいます。その後、地元で働き続けたいと起業。独自技術を用いたプリンター開発で一旗揚げ、起死回生を成し遂げました。

他県から移住したという、金型製造の職人を取り上げた回もあります。高校を中退して就職した企業で、激務に耐えつつ、金属加工の腕を磨きました。やがて「技術を試したい」と岩手に引っ越し、電子機器用部品を作る会社を起こした、との内容です。

そもそもなぜ、このような特集が立ち上がったのか。同紙が2005年の元日に公開した、連載告知記事の序文には、次の説明が盛り込まれています。

地方経済は復調の兆しが見えないと言われて久しい。だが県内には逆風にも負けず輝きを放つ企業がある。技術力やアイデアで世界や全国の注目を集める企業の目玉商品を紹介する。

——2005年1月1日付　毎日新聞（岩手版）

似た趣旨の企画を展開している媒体は、他にも。「ぎふの中小輝業」（中日新聞岐阜総合版）、「羽ばたけ中小輝業」（中部経済新聞）、「わがまち輝業」（大阪読売新聞）……。平成期を通じて、新聞社の枠を越え、〝輝業ブーム〟が続いていたのです。

〝成功神話〟との距離感教える言葉

国土交通省「令和2年版国土交通白書」によると、日本では戦後、地方から都市部へと人口が流出してきました。1990年代半ばの一時期を除き、東京圏で転入超過が継続。20代の転入者を中心として、年々その割合が高まっています。

背景の一つには、働き口の数や所得水準の格差といった課題が、なかなか解決されない事情があると考えられます。少しでも多くの若者を、地方に呼び戻したい。先述した新聞報道には、そんな願いが込められているのではないでしょうか。

一連の記事で反復されているのは「夢を持ち努力すれば、故郷に錦を飾ることができる」という、ある種の〝成功神話〟です。

事業の失敗や学歴コンプレックス、突然の失業などの困難を乗り越え、地元で生きる道を見いだし、仕事を通じて自己実現を達成する。結果として、その土地をもり立てることにもつながる。それぞれのエピソードに共通する図式と言えます。

一方、過去記事に目を通す中で、「夢」と「努力」の総量を計り、人々に競い合うよう促す雰囲気も感じられました。

都市部で企業の発展のために働いていた人が、今度は地域の存続に尽くすよう求められる。そのようにして、いつまでも個人が「輝業」的存在であることをやめられない状況は、新たな息苦しさを生じさせる恐れがあります。

筆者にも、都心で営んでいた仕事を辞め、農村部にUターン・Iターンした知人たちがいます。生きる糧を得るために働きつつ、地元の住民や文化を好きになり、新たな居場所を得た人々は少なくありません。

彼ら・彼女らの中には、しゃにむに職務に打ち込んでいたものの、様々な事情により勤務先を去らざるを得なかったという人物も存在します。労働から離れ、自分の時間を持つ中で、優先すべき価値観を見定められた——。各人のそんな語りに触れたことは、一度や二度ではありません。

一時的に離職や休職をし、生き方について考え直す営みは近年、「キャリアブレイク」の名で注目されています。一般社団法人キャリアブレイク研究所代表理事の北野貴大さんは、離職・休職期間を五段階に分割できると解釈。このうち、当事者が自らの根源的な興味・関心に気付く時期を「実は期」と表現しました（『仕事のモヤモヤに効くキャリアブレイクという選択肢　次決めずに辞めてもうまくいく人生戦略』2024年、KADOKAWA）。「実は」こんなことが好きなのだ。「実は」あんな取り組みがしたい。そうした発見が、人生における自己決定権を取り戻す契機になりうると、北野さんは著書で説いています。筆者が出会った人々も、恐らく同じような体験をしたのではないでしょうか。

仕事を通じて何かをやり遂げること、誰かに選ばれることだけが、成功の条件なのか。競争と距離を置く判断にも、前向きな意味があるのではないか。そのようなメッセージを、逆説的に伝えてくれる言葉が、「輝業」なのかもしれません。

第五章

「最高」を「最幸」と書く心理

——行政も用いる〝お仕着せの感動〟

「最高です」ではなく、「最幸です」と書かれた文章を、目にするときがありませんか？「幸せであること」を、本来の字面を変えてまで、ことさらに強調する――。そのような態度は、ビジネスの現場から、行政が掲げる施政方針に至るまで、あらゆるシーンに浸透しています。背景に、どういった事情があるのか。調べてみると、すぐには解決困難な課題と向き合うための突破口として言葉の力を利用したいという、使い手側の心理が見えてきました。

「ｍｉｘｉ」で見かけた未知の表記

今から15年ほど前のことです。筆者が当時よく利用していたSNS「ｍｉｘｉ」には、日々の出来事をつづる「日記」というブログ機能があります。ある日、知人が投稿した文章に、「最幸」の二文字が含まれていました。

「今日は最幸の一日だった」「最幸の出会いに感謝」。おおよそ、そのような内容だったと記憶しています。仲間内での会食などについて報告する日記に、幸福ぶりを誇示するようにして、「最高」ではなく「最幸」を多用していたのが印象的でした。

未知の表記を目にしたとき、微かな違和感と共に、心に様々な疑問が浮かびました。わざわざ字句を書き換えるのは、なぜなのだろう。「最高」ではいけないのだろうか――。

この頃、「最幸」は、ごく一部でしか流通していない言葉だと思っていました。しかし注意深く観察してみると、スポーツ選手のコメントを始めとして、様々な形で使われていることに気づいたのです。

こうした当て字を含む語句を「啓発ことば」と名付け、その起源を探求してきた筆者。社会の中でどう受け入れられてきたのか、がぜん知りたいという欲求が湧いてきます。そこで、メディア上での取り扱いについて、調べてみることにしました。

学生がスローガンに多用する理由

今回も、「日経テレコン」で「最幸」と打ち込み検索してみると、345件ヒットします。このうち人名情報などを除いたところ、2000年代には登場していたことが分かりました。

目立ったのが、学校行事などのスローガンへの活用です。合唱祭で「最響そして最幸」を掲げた岐阜県の中学校や（2004年2月14日付　岐阜新聞）、部のスローガンを「日本一最幸な野球部」とした長野県の高校の野球部（2017年7月5日付　信濃毎日新聞）などのケースがあります。

全国高校ラグビー地区予選の戦績を伝える、スポーツ報知の記事では、印象的な使用例が確認できました。頂点を決める「花園」常連校・東海大学付属大阪仰星高等学校にまつわる内容です。

昨年度は春の選抜、夏の7人制と合わせて全国高校3冠を達成した。当時のレギュラーが3人残り、昨年度と比較して指揮官は「去年は頭のキレがずばぬけていた。今年は明るくて勢いがある」と評する。チームスローガンは昨年度の「一勝懸命」から「一笑懸命」に変更。（筆者註：主将の）山田が「笑顔が絶えない」と言うように「〝最幸〟の笑顔の輪を広げる」をテーマにしている。

――2016年11月14日付　スポーツ報知

いずれの事例においても、「最幸」を自称することで、明るさ・勢いといった要素を活動に取り入れよう、との心情が見て取れます。困難に直面しようとも、笑顔で乗り切り、最高のパフォーマンスを発揮する。ある種の願掛けのような趣旨と解釈できそうです。

2016年10月27日付の新潟日報朝刊に掲載されていた、中学生の投書も心に残りました。部活中のけがが原因で一時車いす生活となったものの、友人の計らいで、楽しみにしていた体育祭のダンスパフォーマンスに出場できた、との内容です。そして『最悪の体育祭』から『最幸の体育祭』になった」と結んでいます。

スポーツなどの領域において、苦境を覆す力を得るため、ポジティブな言葉を積極的に口にする習慣はよくみられます。また新潟の中学生のように、自らが良縁や幸運に恵まれたことに、並々ならぬ感慨を抱く人々は少なくありません。

感情の昂(たか)ぶりを表現する上で、「最高」よりも強い意味を持つ「最幸」を選びたい、という願望は理解できるものです。以上の事例は、そうした使用者の思いを、端的に示していると感じます。

ビジネスで利用される前向きさ

「最幸」は、ビジネスの世界にも普及しているようです。2018年11月16日付の中日新聞朝刊(豊田版)が紹介した、豊田青年会議所による働き方改革への試みは、象徴的かもしれません。

スポーツの試合前、監督が選手を激励する際の短い声掛け「ペップトーク」をモチーフに、LINEスタンプを作成したとの内容です。ユーザーが前向きになれるよう、「最幸(最高)です!」「顔晴れ(頑張れ)☆」など、16種類のフレーズを用いたといいます。

記事には、働き方改革とのつながりについて、同会議所関係者の発言を引きつつ、次のようにつづられています。

長時間労働の解消など即座に実現できないことが多い点を指摘した上で、「人、お金、設備は用意できなくても、言葉の力による改革にはすぐに取り組める」と説く。相手を否定してやる気をそぐのではなく、励まし積極的にさせる言葉掛けによって、仕事がしやすい環境をつくり、生産性の向上にもつなげられるという。

——2018年11月16日付　中日新聞朝刊（豊田版）

「日本ペップトーク普及協会」の浦上大輔専務理事は、ペップトークの必須要素として「ポジティ語変換」を挙げています（2019年5月7日付　東洋経済オンライン）。後ろ向きな思考や言葉を、プラスの方向に転換し、コミュニケーションに反映するという発想です。そして話者の態度の変化が、周囲の人々の心を動かし、組織の雰囲気が一変すると説きます。豊田青年会議所のLINEスタンプは、こうした性質を職場環境の改善に応用した一例と考えられるでしょう。そのこと自体は、歓迎すべきものです。

ただ、この取り組みは、外部からの働きかけによって、他者の心情を変化させる行為とも言えます。働きやすさの追求ではなく、経営者にとって管理しやすい労働者をつくる、という観点で行われてしまう可能性は否定できません。

また豊田青年会議所の関係者も認めるように、労働問題の解消には時間がかかります。ペップトークは、その準備期間を設けるための、急場しのぎの対応策です。「最幸」といった言葉が、単に「やってる感」を出すだけで、課題解決を先延ばしする方便とならないよう、警戒する必要があるでしょう。

企業や自治体が「最幸」を使う危険性

もう一つ、筆者が注目したのが、行政が「最幸」を使っているケースです。山梨県が2012年に実施した観光振興策「『ビタミンやまなし 史上最幸の女子会』体験ツアー」を始め、自治体発の各種施策に盛り込まれる例は、枚挙にいとまがありません。

神奈川県川崎市の市政方針などに登場するスローガン「最幸のまち かわさき」も、その一つ。福田紀彦市長が2013年に初当選して以降、「個人の幸せが最大限発揮できる」という意味合いで、「最幸」を採用し続けています。

川崎市は待機児童対応を始め、生活の質の向上につながる施策を展開してきました。一方で、市内に住む外国人へのヘイトスピーチ対策などを巡り、その判断が必ずしも市民本位ではないと指摘し、市政方針との整合性を問う報道もみられます。

自治体として、住民の福祉を大事にしようとする姿勢を否定するものではありません。しかし、幸せとは元来「心の奥底から自然と湧き出てくる情念」であると言えるでしょう。人によって、理想とする形も異なります。本質的に、第三者の意向によって規定できるものではないのです。

にもかかわらず、企業や自治体など、強い影響力を持つ集団が、率先して「最幸」という概念を打ち出す。そのことにより、使用者が想定しない幸福の尺度を持つ人々が、疎外される恐れはないでしょうか。

「最幸」が一方的に持ち出されれば、言葉の宛先となる人々は、用いる側だけが満足する〝お仕着せの感動〟の犠牲となりかねません。その危うさを自覚した上で、個々の立場を越えて、誰もが幸せを実感できる社会を実現させていくべきだと思います。

第六章

「人財」はうさんくさい？
——飯間浩明さんが語る意外な見解

飯間浩明（いいま・ひろあき）
1967年、香川県高松市生まれ。早稲田大学第一文学部卒業、同大学院文学研究科博士課程単位取得。2005年、『三省堂国語辞典』の編集委員に就任、以後編纂に関わる。辞書編纂のために、現代語の用例を採集し、説明を書く日々。著書に『辞書を編む』（光文社新書）、『ことばハンター』（ポプラ社）、『日本語をつかまえろ！』（毎日新聞出版）、『日本語はこわくない』（PHP研究所）などがある。

「人材」を書き換えた造語「人財」。「人を大切にする」との意味合いが込められている、と解釈され、企業の採用情報などに用いられてきました。一方、無理やり前向きさを演出したような字面に、違和感を抱く人々も少なくありません。時に「うさんくさい」との評価を受けながら、世間に受け入れられ続けるのはなぜか？　国語辞書編纂者・飯間浩明さんに尋ねてみました。

広告で起こる「人財バブル」

人材派遣業者の手に成る、電車内の自社広告。大手小売りチェーンが、求人サイトに掲載した説明文……。民間企業から行政機関まで、特に働き手を募る場面で「人財」を活用する例は、数多く存在します。さながら「バブル」といった様相です。

筆者が起源について調べたところ、大きく分けて二つの事実が分かりました。少なくとも、1960年代には使われていたこと。そして企業幹部を始め、労働者に影響力を持つ人々が、好んで用いてきたことです（第一章）。

「人財」は働き手を雇う側にとって、強い〝魔力〟を持つ言葉です。それだけに「経営者本位で使われているのではないか」「どこかうさんくさい」などの批判にも、しばしばさらされています。そうした状況下で、何十年もの間、生きながらえてきました。

「一体、なぜだろう?」。そんな疑問が、夏休み終盤まで消化しそびれた宿題のごとく、ふとした瞬間に筆者の頭の中をよぎります。言葉のプロの意見は、参考になるかもしれない。そう考えて、『三省堂国語辞典』(三省堂)編集委員の日本語学者・飯間浩明さんに話を聞くことにしました。

「社員は財産」という考え方

飯間さんは国語辞書編纂者として、日夜街頭に繰り出し、新語の収集に取り組んでいます。

「実は私も、街中で『人財』を見たことがあるんです」。インタビュー開始から間もなく、そう語りつつ、自らのツイッターアカウント上の投稿を示しました。

添付された画像に写っているのは、飲食店の店頭に掲げられた黒板です。そこに書かれた文章を引用する形で、こんな風につづっています。

祖師谷の海鮮居酒屋に〈◆人財大募集〉と掲げてあった。「人材」の誤字では、と思ったけれど、実は、「人財」は「(材料でなく)財産である人」という意味でけっこう使われているようです。政府も使っている。もっとも、採用している辞書はまだ知りません。

――飯間浩明さんのツイッター（@IIMA_Hiroaki）2012年6月18日投稿

「眺めているうちに『確かに、材料よりも財産として、働き手を捉える方が良さそうだ』と感じました」と飯間さん。いわく、同じような受け止めを示す文章は、過去に発行された雑誌にも掲載されていました。

『言語生活』1983年1月号（筑摩書房・1988年休刊）の投書欄には、化粧品会社の求人広告を見たという読者の声が紹介されています。文面にあった、「人財を求めます」との惹句について振り返る内容です。

材も財も「たから」という基本義では一致するが、材の第一義は「丸太」だから、とかく材料・原料と意識されがち。それよりは、「あなたはわが社の財産です、宝です」という訴えの方が説得力があるかも。

――『言語生活』1983年1月号

筆者も以前、週刊誌や経済誌で「人間は財産」という趣旨の表現を見かけました。実際、特に日本経済が上り調子だった高度成長期前後は、そのような意味で盛んに使われていたのです。

知識や情報が決定的な役割り（筆者註：原文ママ）をはたす70年代では、人間はもはや〝人材〟というより〝人財〟である。つまり、なにものにもかえがたい財宝というわけだ

——『週刊ポスト』1970年6月5日号（小学館）

右記の用例を思い出しながら、筆者は心の中で「なるほど」とうなずきました。ここまで紹介してきた記述には、「人財」の背景にある基本的な考え方が含まれていると言えるかもしれません。

「豆富」と共通する話者の心理

少なからず、肯定されてきた側面も強い、「人財」という言葉。個人的には、「材」ではなく、あえて「財」を採用した人々の心理についても知りたいところです。飯間さんは、「豆富（とうふ）」を引き合いに、自らの解釈を語りました。

「豆富」とは、私たちにもなじみ深い「豆腐」を書き換えた造語です。飯間さんによると、1960年代に島根県豆富商工組合（当時）が使い始めて以降、全国に広まりました。文字通り、験担ぎの意味があるといいます。

「業界関係者は、朝昼晩と豆腐を扱っています。四六時中『腐』という字を見るうち、『我々が作っているものは、別に腐っていない』『せっかく誇りを持って仕事をしているのに、縁起が悪い』などと感じるようになったのではないでしょうか」

「消費者は、『豆腐』と書かれている商品も、もちろん買うでしょう。でも作る方からすれば、『豆富』の方が売れ行きが良くなる、と思えたのかもしれません。ある言葉に日々接していると、『この表記のままでいいのか』と疑いを持つようになるものです」

似た例に、「ごみ箱」の当て字である「護美箱」があります。毎日ごみを処理する人が、通行人や観光客のマナー向上や、周囲の景色との調和を図り、「美を護（まも）る箱」と書き換えたのではないか――。飯間さんは、そう推測しているといいます。

一連の表現の系譜に、「人財」も位置づけることができそうです。飯間さんは「人材」の起源に触れつつ、普及の過程にまつわる自説を披露してくれました。参考情報として挙げたのが、『日本国語大辞典 第二版』（小学館）の記述です。

語釈（語句の意味の解釈）を見ると、「人材」は「人才」とも表記する、との説明がありました。8世紀の書物に「人柄としての才能」という意味で登場する他、福沢諭吉が著書で「才知の優れた人物」を指して「人才」を使った、とも書かれています。

一方で「人材」の「材」は資材、建材などにも用いられます。この点を踏まえ、飯間さんは次のように推し量りました。

「『材』を見て、材料を連想する人はいるかもしれません。『人的資源』という言葉は戦時中から使われていたようですが、人を兵力＝モノとして扱うニュアンスを、『材』に見て取ることも、あり得る話です」

「そのため『人材』の二文字から、『人間とは材料・材木なのか』と疑問に思う経営者がいたのかもしれません。どこか気がとがめるところがあるから、字面を変えたのではないでしょうか。いわば、『豆富』と同じような流れで生まれたのだろう、と思っています」

「うさんくさい」という感情の由来

しかし、使い手の思いとは裏腹に、「人財」には批判もつきまといます。冒頭でも言及した、「経営者本位で使われているのでは」「どこかうさんくさい」といった否定的評価です。この点は、どう考えれば良いのでしょうか？

まず前者の評価について、飯間さんは「言葉遊びに熱中している経営者は、確かに存在するかもしれない」としつつ、こう語りました。

「『人財』を考え出した人は、そこまでの悪意は持っていなかったかもしれません。元々は、縁起を担ぎたいという程度の話。経営上の怠慢をごまかしたり、都合の悪い事実を隠したりする意図はなかったと思います」

その上で後者の評価のような違和感は、「親父ギャグ」への拒否反応に通ずると指摘します。

「例えば、経済界の重鎮たちが新年に集まる、賀詞交換会というのがありますね。そこで企業の社長さんが、報道陣に『今年はどんな一年になりますか』と問われて、ダジャレのような回答をする場面を見たことはないでしょうか」

「他の人と同じコメントでは、印象に残らない。だから新しい単語をつくって気を引こうと思うのでしょう。経営を論じる人物の中には、言葉をもてあそぶこと、つまり『親父ギャグ』を好む人が多い気がします。『人財』も、こうした点に由来するのかもしれません」

飯間さんの見解を聞き、ハッとしました。新語を発案し、情報の強度を高めようと試みる態度は、メディア業界でもよくみられるからです。「さとり世代」「ロストジェネレーション」など、世相を端的に表そうとする言葉は、ごまんとあります。

メディア起源の言葉の行く末は様々です。世紀を越えて使われ続ける単語や、全く不発だった語句が混在し、数え上げようとすれば限りがありません。そしていずれも、他者へのアピールを意図して発せられた点が共通しています。一人得心していると、飯間さんが笑顔で語りました。

「ある経営者の言葉を『寒い』と思ったなら、それは滑っているからかもしれません。でも、その人の発言全てがつまらないわけではない。まさにそう、と膝を打つものもあるでしょう。そして、人によって、捉え方も違って当たり前なのです」

「『人財』も同じです。私自身が、初めて目にして感心したように、支持者は一定数存在します。時に嫌がられつつも使われ続ける、その生命力に、ある種敬服する気持ちがあります。間違いなく、『ヒット商品』と言えるでしょう」

当て字文化は日本語話者の特権

「人財」について議論する中で、人間の心と、言葉の海の深さを教わった筆者。改めて気になったことがあります。社会の中で受け入れられやすい語彙と、そうでないものの間には、何か違いがあるのでしょうか？

飯間さんいわく、それは「謎中の謎」。どういうタイトルにすれば本が売れるかという問いに、明確に答えられないのと一緒なのだそうです。

「全ては結果論。我々にできるのは、『私はセンスがいいと思う』などと、ある単語について主観的に語ることくらいでしょう」

その上で、「人財」を含む当て字文化は、日本語話者の特権であるとも話しました。

「『頑張る』を『顔晴る』と表記する場合があります。アルファベットのみで構成される英語はもちろん、中国語でも、日本語ほど自由に漢字を変えて使うことはできません。当て字は日本語を使う人々特有の楽しみと言えます」

「色々な効果を狙って、当て字を考える人たちは、これからもどんどん出てくると思います。生み出された言葉の多くは、いずれ消えていく。中には、ヒットしたり、静かなブームを起こしたりするものもあるでしょう。それだけは確かです」

ちなみに飯間さんが編集に関わった『三省堂国語辞典 第八版』（2022年）には、同書の歴史の中で初めて、「人財」にまつわる情報が掲載されました。「人材」の項目における表記説明として、こんな記述が見えます。

「財産である人」の意味で「人財」とも。「人財募集(ぼしゅう)」

——『三省堂国語辞典 第八版』

社会が変化するにつれて、生まれては消えゆく造語の数々。時代の荒波にもまれながらも、命脈を保つ言葉には、確かな説得力や強度があります。「人財」もまた、そうした語句の一つと言えるのかもしれません。

第七章　職場を覆う「搾取ワード」

——今野晴貴さんが分析する企業の狡知

今野晴貴（こんの・はるき）
1983年生まれ。仙台市出身。NPO法人POSSE代表。年間5000件以上の労働相談に関わり、労働問題について研究・提言を行っている。著書に『賃労働の系譜学』（青土社）、『ブラック企業　日本を食いつぶす妖怪』（文春新書）、『ブラックバイト　学生が危ない』（岩波新書）など。一橋大学大学院社会学研究科博士後期課程修了。博士（社会学）。

職場に身を置くと、しばしば「意識高め」な言葉に出会うことがあります。働き手を励まし、奮起させるような響きを持つ。そんな共通項が見て取れるものです。積極的に使われるようになった背景に「企業の命令を断れない国民性」があると、労働問題の専門家・今野晴貴さんは分析します。会社を中心に回る日本社会の現実について聞きました。

働き手を重んじているように思えるが…

労働分野における「意識高め」な言葉として、筆者が注目してきた言葉に「人財」があります。成り立ちについては、既に分析してきた通りです。

この言葉を用いる企業は、「社員の幸せを支えている」とのイメージを伴います。だからこそ、経営者に好まれてきたと考えられるかもしれません。

ただ、労働相談を受け付けているNPO法人POSSE代表の今野さんは、「必ずしも前向きな理由だけで普及したわけではないのではないか」と話します。

「日本型雇用進化バージョン」の出現

「これはあくまで推測ですが……」。今野さんはそう前置きしつつ、「人財」の成立過程にまつわる持論を教えてくれました。いわく、キーワードとなるのが、「日本型雇用」とも言うべき雇用慣行です。

日本の企業は、働き手に様々な命令を下します。度重なる異動や単身赴任、残業をしなければこなせないほどの量の業務など、その内容は過酷なものになりがちです。反面で、企業側は社員教育と長期雇用を保障してきました。

「『過労死』が世界共通語になるほど、日本人の労働時間は国際的に見ても長い。[*註] そもそも、働き手を企業に埋没させる論理があるんです。その代わり、企業は責任を持って社員を一人前に育て、終身雇用や年功賃金を約束してきました」

ところが経済成長が鈍化し、2000年代に入ると潮目が変わります。「スキルアップ」「キャリアアップ」といった考え方が叫ばれるようになったからです。法改正で労働派遣の対象業種の幅が広がるなどして、非正規雇用者が増えた時期とも重なります。

「こうした中で、企業と働き手の間の、一種の取引関係が壊れてしまいました。仕事に必要な技能や知識の習得はもちろん、雇用の維持さえも『自己責任でやれよ』という流れが強まったんです」

「当時の『人財』という言葉には、『自らスキルアップせよ』という意味合いが重なっていたように思います。エンプロイアビリティー（雇われる能力）という言葉も、この頃から広がっていきました。自己責任論が強まる中、企業の絶大な命令権は維持されているという意味で、いわば『日本型雇用進化バージョン』の出現と言えるでしょう」

＊経済協力開発機構（ＯＥＣＤ）の統計では、２０２２年の日本人の年間平均労働時間は１６０７時間で、ＯＥＣＤ全加盟国平均（１７５２時間）以下。一方、厚生労働省がまとめた「令和５年版過労死等防止対策白書」によると、「週労働時間が49時間以上の者」の２０２２年の割合は、男女合計で15・３％でした。日本・米国・英国・フランス・ドイツ・韓国の６カ国中、首位の韓国（17・２％）に次ぐ高さであり、依然として長時間労働が課題となっています。

なぜ企業の命令に逆らえないのか？

生活が十分に守られないのに、企業の命令権だけは温存される——。そんな社会の変化が、劣悪な労務管理を行い、労働者を食い潰す「ブラック企業[＊註]」が成長する素地をつくったとも、今野さんは話します。

しかし健やかに働ける環境が整えられないなら、企業の主張に耳を傾ける必要はないはず。なぜ抵抗が広がらないのでしょう？　今野さんに疑問をぶつけると「会社の命令に従う以外の論理が、日本社会には少ない」との答えが返ってきました。

「資本主義社会は市場中心であるとはいえ、地域社会や家族・親族関係、職業人同士がつながる業界団体など、様々な要素を同時に含みます。そして、各領域で人間的なつながりが育まれるものです」

「でも日本では戦後、『会社共同体』が圧倒的に優先され、今では他の集団のほとんどを淘汰してしまいました。日本には『会社』のつながり以外が残っていないのです」

過去に転勤を繰り返してきた筆者にとって、この発言は耳が痛いものでした。赴任地の風土になじめても、異動辞令が出れば「仕方ない」と受け入れてきたからです。暮らしの基盤が仕事に根ざしている以上、勤務先の指示を無視することは難しいと感じます。

心の揺らぎを見透かしたかのように、今野さんが続けました。

「会社の命令は水戸黄門の印籠（いんろう）みたいなもの。『会社があるので』と言えば、大抵のことは『仕方ない』となってしまう。そこに自己責任論が加わり、職務上『使える』人間になることを常に強いられる。そんな状況があるのではないでしょうか」

＊「ブラック企業」は、労働問題を引き起こす企業のあり方を告発・是正する文脈で、象徴的に広がってきた用語です。近年「黒人差別を連想させる」との批判も上がっていますが、雇用主が働き手に対して使う言葉を検証する本書においては、元々の意味合いを尊重して用いています。

戦時中にも通じる無抵抗の論理

話題は更に、組織や目上の立場にある人からの言いつけに抗いがたいという、ある種の国民性にまで及びました。

例えば戦時中、国民に兵力や労働力の確保を呼びかけるスローガン「産めよ殖(ふ)やせよ」を始め、国に尽くす市民(臣民)であれという要請が広がりました。こうした押しつけ型の「ロールモデル」に対する抵抗の弱さが招いた、悲惨な結果の一つに「特攻」があります。

「歴史学者の吉田裕さんは、著書『日本軍兵士――アジア・太平洋戦争の現実』(2017年、中公新書)で、特攻の非合理性を指摘しています。航空機で敵艦に突撃する際、揚力によって破壊力が弱まるため、十分な戦果が得られないのではないか。当時から分かる人には、そう分かっていたようです。実際に、特攻機が6機命中しても一隻の駆逐艦を撃沈できなかった事例もあるようです」

「この無謀な命令に対し、兵士たちは衝突寸前に爆弾を切り離して、その直後にあえて離脱せずに突っ込むという形で戦果を挙げようとした。このことについて、吉田さんは次のように問うています」

できるだけ大きな損害を敵に与えたいという戦闘機パイロットとしての意地からだったのだろうか。それとも、合理性を欠いた無謀な特攻作戦に対する無言の抗議だったのだろうか。

——『日本軍兵士——アジア・太平洋戦争の現実』

「軍隊の側は、爆弾を切り離せないようにわざわざ加工することまでしていたようです。パイロットたちの『無言の抗議』だったにしても、無謀な作戦も自らの死も所与のものとして受け入れられてしまっています。無理な命令は承知の上で、そこに順応する以外になかったということでしょう。こうした服従の精神は日本社会に残っていないでしょうか」

今野さんによれば、その最たる例がブラック企業だといいます。自助努力による職務能力の養成を重んじる風潮に乗じて、無際限な過重労働などを社員に課す。社員は命令に逆らえず、心を病んでしまう……。会社中心社会の、負の側面です。

ただ近年は、ブラック企業への忌避感が人々の間で共有され、法規制も強まっています。そのあり方が問題化する中で、あくまで雇う側がつくりだした、明るい意味合いの「人財」という言葉が流行したのだろう——。今野さんは、自身の見立てを披露してくれました。

ブラック企業は「経済合理性」を重視する

そもそもブラック企業という言葉は、2000年代に登場したネットスラングとされています。次第にIT業界やサービス業界など、比較的新しい産業を中心として、労働者に違法な働き方を強いる企業を指すようになりました。

今野さんの著書『ブラック企業　日本を食いつぶす妖怪』『ブラック企業2　「虐待型管理」の真相』（2012・2015年、いずれも文春新書）では、同種の企業に勤める働き手たちの境遇が紹介されています。過重労働の強要や残業代未払い、上司による罵倒、職務上の不公平な評価の常態化など、いずれも深刻です。

過酷な業務に従事した末、体調を崩して離職を余儀なくされたり、思い詰めて自死を選んだりする人も少なくありません。いわば労働力をわざと枯渇させるわけですが、実は事業を継続する有効な手段になっていると、今野さんは解説します。

「『ブラック企業』は心理学的な手法を使い、社員の『内面』を破壊します。ハラスメントなどで人権を侵害し、命令に逆らえないような精神状態をつくりだすのです」

「するといくらでも働かせられるし、不当な待遇への損害賠償請求を避けることもできます」

新興産業に属する企業の中には、労務管理システムが未成熟なところも少なくありません。事業規模を拡大させるため、人材を大量に採用し、使い潰すことを繰り返す場合もあります。自社の成長の原動力になる点で、「経済合理性」があるとすら言えるのです。

働き方の検証を拒もうとする言葉遣い

では、ブラック企業から社員に対して、どのような働きかけがなされているのでしょうか？　今野さんいわく、よくみられるのが「自分が悪い」と思い込ませる目的で、上司が部下に声をかける事例です。

「例えば教育産業では、『お前の教材を使う子どもたちのことを考えているのか』と、ベテラン社員が新人の仕事ぶりを非難することがあります」

「実際には経験に見合わないノルマや、困難な仕事が課せられていたとしても、責任を個人に帰するんです」

類似するフレーズとして「お前は努力が足りているのか」「この程度の働きしかできなくて、悔しくないのか」といったものも。業績が上がらない原因を労働者の人間性に求めることで、働き方の検証を阻もうとする意図が共通しています。

このような声かけが、標語の形を取って行われることもあります。

外食大手ワタミは、渡邉美樹会長兼社長の発言録「理念集」を社員に配布してきました。かつて「365日24時間、死ぬまで働け」との一文を掲載し、批判を浴びて撤回に至っています。

「労働契約は、企業と労働者が対等な立場で結ぶ取引です。しかし『ブラック企業』は、『全部お前が悪い』というフレーズを使って、その関係性を壊してしまう。そして労働条件の問題を人格の問題にすり替えるところに、一連の雇用管理の怖さがあります」

「自由な働き方」をうたって搾取

近年、企業単位で副業の解禁が進んできました。また正社員のホワイトカラー層で、特に転職希望者数が増えているとする統計もあります。一見すると、働き手の企業に対する執着心は弱まっているようです。

しかし今野さんいわく、むしろ「自由な働き方」をうたい、不適切な労働を展開する企業が後を絶たないといいます。一例として、低価格・短時間の散髪サービスを提供する、ＱＢハウスのケースを挙げました。

ＱＢハウスの一部店舗では、会社ではなくエリアマネージャーが従業員を雇う運用が行われています。このため、ＱＢハウスの本社と従業員の間に雇用関係はないとみなし、従業員に有給休暇を取得させるといった法律上の義務の履行を怠ったとして、労働組合が運営元企業に団体交渉を求めているのです。

２０２３年２月には、エリアマネージャーが雇用する美容師８人が、ＱＢハウスを展開する企業キュービーネットホールディングスを提訴。未払い残業代など、約２８００万円の支払いを要求しています。

同様の問題は、大手コンビニチェーンでも発生しています。

２０１５年、ローソンのフランチャイズ加盟店で働いていた男性が、店主によるパワハラなどを理由に本部を提訴。本部側は当初、店主と本部は「互いに独立の事業者で、（本部には）具体的な指揮監督権がない」と反論したものの、２０２１年６月に和解しました。

「企業にとらわれない仕事への憧れが、『ブラック企業』からの労働者の解放を実現するどころか、かえって利用されてしまっている。その結果『雇用しているわけではない』と言って、労働者を脱法的に、死ぬほど働かせる状況が生まれています」

源流は、ごく普通の一般企業に

こうして概観してみると、ブラック企業による労働者の取り扱いは、いかにも過酷です。しかしその源流をたどっていけば、ごく一般的な日本企業の労務管理に行き着くと、今野さんは強調します。

「日本では昇進などを判断する上で、『査定』という手法がよく使われますよね。あれは業績ではなく人格の評価なんです。サービス残業をどれくらいしているか、といった点が『頑張り』と見なされる。『ブラック企業』同様、非常にスピリチュアルな世界です」

「頑張り」は曖昧(あいまい)な概念で、その範囲が際限なく広がる恐れがあります。一方で企業は、働き手の努力に終身雇用や昇給で報いてきました。しかし経済状況が変化し、従来の関係性が崩れ、企業の命令権だけが肥大化したといいます。

「ストライキや団体交渉で、企業側に改善を促すことは大切です。でも『今以上に頑張るから賃金を上げて』と言っても意味が無い」

「『これだけの仕事をしたら、これくらいの賃金を払ってください』と、企業や職業の枠を超えて訴える必要があるでしょう」

むちゃな働き方を社員に強いるブラック企業。その成立過程には、個人の心がけを過度に重視する仕事観と、それを労働者の意識に刷り込む巧みな言葉遣いがありました。こうした構造に気づくことが、状況を変える一歩になるのかもしれません。

なぜアルバイトが「クルー」「メイト」に?

ところで筆者には、個人的に注目している言い換え語があります。サービス業を中心に使われている、特定の職種の呼称です。

例えば飲食店の中には、アルバイトスタッフを「クルー」や「メイト」と表現するところがあります。ワタミが経営し、業務委託の弁当配達員を「まごころさん」と呼ぶワタミの宅食などのケースも、類似しているように思います。

これらの職種は非正規雇用で、正社員よりも賃金が安く、雇用期間も限定されていることが少なくありません。待遇が比較的厳しいにもかかわらず、仕事のやりがいや仲間意識を、ことさらに強調するような字面に違和感を抱いてきました。

「確かに、インパクトがある言葉ですよね。好待遇でもないのに、労働に巻き込んでいこうという明確な意図を感じます」。今野さんは筆者の意見に耳を傾けつつ、そう話しました。

対価なく労働に駆り出すための言葉

先述の言い換え語には、働き手に職場に適応してもらうため、自社の理念を分かりやすく伝える効果が期待されているのでしょう。その意味において、業務環境の質と、仕事の能率を両立させるという、経営上の配慮が込められていると感じます。

しかし現実には、過酷な労働の正当化に、一役買っている部分があるとも言えそうです。

今野さんの著書『ブラック企業2 「虐待型管理」の真相』に掲載されている、シンボリックな事例を紹介しましょう。

2006年12月、外食チェーンを運営する東和フードサービスに入社後、系列カフェの店舗責任者を務めていた25歳の女性が自死しました。慢性的な人手不足にもかかわらず、人員が手当てされないといった状況が過労を招き、店舗責任者就任から約3カ月後に命を絶ったのです。

女性は、当時「メイト」と呼ばれていたアルバイトとして勤務後、正社員に登用されました。店舗責任者になって以降は、メイトの管理に忙殺され、更に上司から人手不足の責任を負わされるなどして、精神的に追い込まれていったといいます。

この一件を巡っては、女性の遺族が労災認定を要求して提訴し、東京地裁に訴えが認められています。また先述したワタミの宅食についても、群馬県内で二つの営業所の所長を掛け持ちしていた女性社員が、未払い残業代の支給などを求め、2021年3月にワタミを相手取り訴訟を起こしました（その後、和解）。

企業が職種に対して用いる、働き手を大切にする印象の呼称と、言葉のイメージからかけ離れた労務管理。もちろん、そうした劣悪な運用が、先述した呼び名を採用する全ての企業で行われているわけではありません。一方で今野さんは、次のようにも語りました。

「一連の呼称を使う会社は、対価なしに労働者の参加意識だけアップさせ、搾取を強める意図が露骨だと感じます」

労働問題で悪化したイメージを転換

用語の変更によって、職業に対する業界内外の意識を改めようとする試みは、他にもあります。今野さんが言及したのが、2022年に話題を呼んだ、アシスタントディレクター（AD）をヤングディレクター（YD）と呼び替えるテレビ各局の動きです。

ADはディレクターの補佐役です。職場で過重労働やハラスメントの被害に遭いやすく、待遇改善が望まれてきました。今野さん自身、当事者からたびたび労働相談を受けており、劣悪な取り扱いを問題視してきたといいます。

「業界全体として、ADには一日18時間程度の労働を、当然のように強いています。上司から殴られながら仕事をするというのも、日常茶飯事。格好いい仕事との印象を世間に与えやすい職種名ですが、実態は雑用係のような働き方です」

こうした状況を受け、日本テレビなどの各局がYDの名前を採用し始めていると、同年に一部メディアが報道しました。ネット上を中心に注目を集めましたが、「根本的な解決につながるのか」「言葉遊びだ」と、効果を疑う声も少なくありません。

「労働問題で悪化した職業のイメージを、言葉によって変えようとする。そういったことは、現在も色々な業界で繰り返されています。ＹＤのケースは、まさに象徴的ではないでしょうか」

国家レベルで広がる言葉のまやかし

「実は、こうした流れに乗っかっているのは、企業だけにとどまらないんです」。今野さんが、そうつぶやきました。どういうことか。詳しく聞いたところ、いわゆる「働き方改革」関連の労働政策を例に、説明してくれました。

２０１９年、高収入の専門職を対象に、労働時間規制を撤廃する「高度プロフェッショナル制度」（高プロ）が施行されました。制度の適用条件を満たす労働者は経営者に意見でき、働く時間を自ら決められるとの前提で組み立てられたものです。

ただ検討過程では、制度の対象職種に就く人々から「実際には取引先の都合に合わせないといけない」などの異論が噴出。厚生労働省が２０２１年に公開した、制度適用者の働き方にまつわるデータでも、健康を害しかねないほどの長時間労働の傾向が示されました。

似たケースに「裁量労働制」があります。前もって一定時間残業したと見なし、残業代を給与に上乗せする方式です。今野さんいわく、同制度による求人の大半が月給25万円以下での募集といいます。つまり賃金全体の抑制に使われているのです。

「どちらの制度も、働き手個人に裁量があるから、残業時間が減るという建前で成立しました。特に裁量労働制については、制度適用者の残業時間を非適用者より少なく見せるため、厚労省の関連データが改ざんされた経緯もあります」

「『残業は自己責任だ』。そう言いたいがために、高プロや裁量労働制という造語を発明したわけです。労働相談に来る人々の働き方に、裁量などない。言葉のまやかしは、もはや企業にとどまらない、国家レベルの問題と言えるかもしれません」

「散々働かされる」イメージへの反発

今野さんが言及した裁量労働制は、働きやすさをうたって導入されるケースが少なくありません。

仕事量を調整できる権利を、あたかも保障してくれそうな制度。しかし今野さんは「いくら働いても残業代が増えないため、社員にノルマを課し続ける企業も多い。仕事の裁量権を持ち成長できるイメージとは、ほど遠いのが実情です」と話します。

一方で学生などと対話すると、裁量労働制への良い印象を語る人々が、意外なほどたくさんいるのだと教えてくれました。

「上の世代の人たちは自分の地位にあぐらをかき、若い世代を散々働かせている。そんなイメージが、メディアや親を経由して拡散されています。だから『仕事の進め方を自由に決められる』とうたう企業が、まっとうに思えるのかもしれません」

若者が「成果主義」に共感する理由

最近よく聞く「成果主義」の認識も、裁量労働制の場合と似ているといいます。

今野さんによれば、成果主義は2000年代、「会社に無理なことをさせられる」と反発を受けることが少なくありませんでした。それが今や、積極的に肯定する若者が多いというのです。

このような傾向は、実はブラック企業への評価とも共通しています。当該企業に入る若者の中には、過酷な労働を通じて自らを高めたい、と考える人もいるそうです。上昇志向が強い人ほど、誘惑されやすい特徴があるといいます。

筆者は2010年代前半に就職活動をした一人です。リーマンショックや東日本大震災の余波が残り、企業側も厳選採用を意識していた記憶があります。「選ばれる」ため、厳しい仕事もいとわない——。学生の間に、そんな空気が漂っていました。

近年はこうした状況に加えて、旧態依然とした働き方への反発が、これまで以上に強まっています。背景には、若い人々の年長世代への複雑な感情がある……。今野さんは、そのように語ります。

「一昔前は『成果主義反対』『リストラ反対』といった主張が、ある程度社会に響く感じがありました。しかし今では、こうした反対論は、現状維持を意味すると捉えられています。企業の命令で、無限に働かされる労働のあり方の象徴と受け止められているんです」

「成果主義の論理が根付けば、閉塞感をぶっ壊してくれる。そんな思いが解雇規制をなくそうという主張への賛成にもつながっています。もう一つは、『成果主義』の意味が、政府の言った通りに『自分の責任を果たしたら先に帰っていい』ということだと捉えられている点です。どちらも日本型雇用の改革への願望が、逆に『ブラック企業』的な論理を強める人事や政策に共鳴してしまっているのです」

加えて、次のような危険性についても指摘しました。

「ちなみに、『成果主義』も本当に厳密に行われるのであれば、『ブラック企業』の無理な命令に歯止めをかける制度になり得ます。ところが、実際の法律ではノルマや成果の規制はありませんから、高プロや裁量労働制とセットで、無限のノルマ地獄に陥るリスクがあります。そこがうまく伝わっていないようです」

不満をすくい上げられない労働組合

ここまでのやり取りを通じて、ふと思いました。成果主義が導入されると、必然的に仕事の評価が厳しくなります。誰もが常に業績を上げられるわけではないし、心身の不調で働けなくなれば、一気に職を失いかねません。

裁量労働制一つとっても、本来の目的が必ずしも達成されていないのは明らかです。例を挙げると、報道機関の中には、この制度を採り入れているところがあります。しかし取材先の都合に沿って働くことも多く、過重労働の是正が常に叫ばれてきました。

にもかかわらず、一連の制度が、どうして好意的に受け止められているのでしょうか？この点について、今野さんは「はっきり言って、労働組合が既得権化しているからだと思います」と述べました。

「例えば解雇規制に反対している労働組合のメンバーが、年配の人々であることは珍しくない。非正規で働く若者からすれば、既得権者です。今までの働き方で利益を得ているため、『おっさんたちが何か言っている』と捉えられかねません」

「すると、むしろ現状を打破してくれた方が、チャンスが増えると考えるのは自然でしょう。若い人たちが、『自分たちのためのものだ』と思えるような労働運動がないのは、大きな問題だと感じます」

今野さんいわく、日本の労働組合は企業別に組織され、正社員組合員の賃上げを目指すのが基本。非正規労働者や社外の人々の加入は想定されておらず、内向きな活動になりがちです。

最近では、徐々に非正規の働き手の組織化も進んできました。「ただ果たして、本当に彼ら・彼女らの意見を代弁できているかは疑問も残る」と、今野さんはいぶかしみます。こうした点も労働運動が信頼を失った原因と言えるかもしれません。

「利害関係」を考える大切さ

近年は業務のデジタル化が進むなどして、仕事の内容や、働く環境が加速度的に改められています。その変化に「自己責任で適応すべき」との風潮が強まりつつある印象が、筆者には拭えません。

成果主義にまつわる議論の盛り上がりも、こうした動きの延長線上に位置づけることができそうです。しかし企業側が労働者に命令を出し、無際限に従わせられる状態を見直さなければ、かえって働きやすさが損なわれるように思います。

そこで注目したいのが「裁量労働」を始めとした、働き手を「使う」側の言葉です。労働者に寄り添うようでいて、搾取を助長しうる語句と向き合う。そのために何を意識すれば良いのでしょう？　今野さんに尋ねると、こんな答えが返ってきました。

「難しい問いですが……。大事なのは『客観的な利害関係はどうなっているのか』と、よく考えることではないでしょうか。企業の言うことが、自分自身が幸せに生きる上で役立つか。本当に自分に対して向けられた言葉か。冷静に見定めるシビアさが不可欠ですよね」

「働き手を直接雇用せず、『自営業者』として扱う企業があります。関係者から『自由に働けて成功のチャンスがあるよ』と言われたとき、その裏にある目的を読み解いてみる。すると『労働法制が適用されないからでは？』と分かるわけです」

「もちろん企業が労働者を育て、利益を出し、賃金を上げるといった良好な労使関係もあり得ます。しかし歴史を紐解けば、そうした労使の関係性は、労働者側の権利主張を契機に、会社が妥協したときにいつも生まれるのです」

経営者と労働者の間では、利害が対立している。だからこそ交渉し、仕事をするための条件を整えていく――。それが雇用関係であると今野さんは話します。企業が働き手に何をさせたくて、ある言葉を使うのか。疑問視することの大切さを思いました。

「二度と来させない」すごまれた経験

「人財（人材）」「志事（仕事）」など、労働にまつわる造語をつくりだし、求人情報や社内向けのスローガンに盛り込む企業があります。働くことを、過度に賛美するような響きを伴うのはどうしてだろう。筆者は、不思議に思ってきました。

一連の言葉が、いかなる目的で使われるのか知りたい。そんな思いから取材した、今野さんの発言のうち、とりわけ印象に残っているフレーズがあります。「企業には、働き手に対する強力な命令権がある」という一言です。

実は筆者自身にも、このことを痛感した経験があります。

大学時代の一時期、登録型の人材派遣事業者を介して、路上で小売店のビラを配る仕事に従事しました。ある日の勤務中、指定された配布場所に人通りがなく、チラシが全くはけない事態に陥ったのです。

そこで、派遣元企業の許可を得て、通行人が多い地区へと移動。順調に業務をこなしていたところに、小売店の社員が巡回にやって来ました。なぜ元々の持ち場を離れたのかと問われたため、事情を説明すると、こうすごんだのです。

「どんな理由であれ、派遣（労働者）の立場で、仕事の内容に勝手に意見するなんて許さない。二度とうちの店に来させないこともできるんだぞ」

理不尽さを覚え、感情が昂ぶりましたが、当時はお金を稼ぐ必要があり、何も言い返せませんでした。そして実際に、その店舗から出勤要請を受けることはなくなったのです。

当然、派遣先企業にも一声かけておくべきだった、という捉え方もあるでしょう。一方でオペレーション上、業務にまつわる相談や報告については、派遣元企業に行う規定になっていました。また配布場所の自主的な変更が不適切だったのであれば、店舗の社員はその点だけを指摘すべきだったと思います。筆者が「派遣」であることを根拠に、仕事上の裁量や働く権利を否定するのは、筋違いであると感じました。

非正規労働者の立場の弱さと、企業と働き手の間にある、権力関係の強さを思い知った出来事です。

過酷な現実を覆い隠してしまう言葉

右記の体験はごく個人的なもので、一般化するのは難しいと思います。派遣元企業と小売店との間で、配布場所の変更に関する連絡の行き違いがあったのかもしれません。社員個人の資質や人格に由来する事態だったとも考えられるでしょう。

とはいえ働き手が、企業から不当に取り扱われることは多いようです。今野さんは取材中、過去に受け付けた労働相談の事例を紹介してくれました。その中には、超過勤務や上司の嫌がらせにより、退職に追い込まれたケースも少なくありません。

「人財」などの言葉には、こうした労働を巡る過酷な現実を、覆い隠してしまう一面があるのではないか。今野さんへのインタビューを通じ、筆者はそう思いました。

事業者の中には、勤務年数が短い働き手を、業務の責任者に抜擢するところがあります。役職に就いてもらう際、「早期に成長できる」「現場の仕事を知って欲しい」などの理由付けがされることもしばしばです。

こうした主張には、確かに納得できるところがあります。しかし、働き手の意に反する長時間労働や、過剰なノルマの正当化に利用されがちな点は否めません。「人財」であるはずの人材が、搾取されるかもしれないのです。

今野さんの著書『ブラック企業　日本を食いつぶす妖怪』に掲載されている、小売店SHOP99（現・ローソンストア100）の事例では、入社一年足らずの20代の男性社員を店長に登用。男性は4日間で80時間働かされるなどして、うつ病になり休職したといいます。

私たちは「生きるため」に働いている

そもそも、私たちはどうして働くのでしょうか。筆者は、「生きるため」に他ならないと考えています。生活費を稼ぎ、日々の糧と交換する。労働とは本来、それを叶える手段に過ぎないはずです。

しかし仕事を長く続けるには、やりがいも大切です。そこで「自己実現」「社会貢献」といった言葉が持ち出されます。一人ひとりの働きが、より大きな目的のためになされている。そんな実感が、労働に特別な意味を伴わせるのです。

労働への対価を得ることと、仕事にやりがいを感じることは、車の両輪と言えるでしょう。しかし「人財」を始めとする語彙に触れると、後者を過度に重んじている印象を受けます。

こうした言葉には、「働き手を厚遇している」というイメージづくりに役立つ側面があります。だからこそ普及したと言えるかもしれません。

一方、過重労働や残業代未払いの撲滅など、急務とされる職場改革が立ち遅れている企業が少なくないのも事実です。

今野さんは「企業と労働者の間で利害が対立した場合、それを調整するのが雇用関係である」と語りました。業務命令を出し、社員を使役できる企業は、強い権限を持っています。だからこそ、働き手を守る雇用契約が不可欠なのです。

もちろん、両者は敵対しているわけではありません。むしろ、対等なパートナーとして手を携えていくべき間柄です。企業が発する言葉が、働き手との関係性のバランスを崩す、一方通行の内容になっていないか。吟味する意義は大きいと感じています。

第八章

「総動員」のための〝物語〟
――辻田真佐憲さんが説く言葉の怖さ

辻田真佐憲（つじた・まさのり）
1984年、大阪府生まれ。評論家・近現代史研究者。慶應義塾大学文学部卒業、同大学院文学研究科中退。政治と文化芸術の関係を主なテーマに、著述、調査、評論、レビュー、インタビューなどを幅広く手がけている。単著に『防衛省の研究　歴代幹部でたどる戦後日本の国防史』（朝日新書）、『超空気支配社会』『古関裕而の昭和史　国民を背負った作曲家』（文春新書）、『天皇のお言葉　明治・大正・昭和・平成』『大本営発表　改竄・隠蔽・捏造の太平洋戦争』（幻冬舎新書）、『空気の検閲　大日本帝国の表現規制』（光文社新書）などがある。軍事史学会正会員、日本文藝家協会会員。

人々の仕事に対する士気を高め、効率よく働かせようとする——。企業の中には、そんな意図をもって、様々な「言葉」を駆使するところがあります。第三者の心のありようを変えるための、造語やスローガン。それらの形式は、政治的なメッセージの拡散に用いられる、プロパガンダとよく似ているのではないか。気になった筆者が、評論家・近現代史研究者の辻田真佐憲さんに、疑問をぶつけました。

「人罪」「非国民」響き合うもの

筆者が考究の対象としてきた「啓発ことば」。これらの語句には、働き方の理想像をつくり、組織の活性化を促す側面があります。ただ使い方を誤ると、今野晴貴さんが指摘したように、労働者の選別や搾取につながりかねません（第七章）。

「人罪」と「人在」。前者は「会社に不利益をもたらす社員」、後者は「会社にいるだけの社員」という意味の造語です。これらは「人財」の対義語として用いられてきました。企業が望ましくないと見なした働き手を可視化する、烙印にも似た役割を果たしているのです。

一定の基準に従い、人間性を区分する言葉の力が、国家全体にまで及んだ時代がありました。戦前・戦中期です。愛国心を高め、外国への敵意を煽る。そのためのスローガンに同調できない人々を、「非国民」と蔑む風潮も生まれました。

当時の社会情勢の成立には、政治の影響が大きいと思われがちかもしれません。一方で、これに加えて、「戦争に便乗した企業の働きにも注目すべきだ」との意見もあります。辻田さんは、このような立場を取る一人です。詳しく話を聞きました。

プロパガンダ・三つの構成要件

辻田さんは政治と文化・娯楽の関係性を軸に研究を進めています。近現代史にまつわる書籍を多数発表し、プロパガンダを取り扱ったものも少なくありません。

そもそも、プロパガンダとは何なのか。まず定義について聞いてみました。

「一つは『政治的』な内容であることです。商品の宣伝など、単なるCMとは異なります。次に『組織的』に行われること。更に言えば、相手の思考を知らず知らずのうちに変えるという特徴も含まれます。『半強制性』と表現できるでしょう」

「半強制性」とは、生々しい言葉です。しかし、どうして「半」が付くのでしょうか？

時の政府によりプロパガンダの流布が主導されたことは、容易に想像がつきます。辻田さんいわく、情報を広める上で、意外にも「楽しさ」が重んじられたというのです。

宝塚少女歌劇団の「軍国レビュー」？

分かりやすい事例を、辻田さんの著書から引いてみましょう。『たのしいプロパガンダ』（2015年、イースト新書Q）には、戦前・戦中期の時局宣伝に、様々な文化芸術が活用されたとつづられています。

同書所収の事例の中でとりわけ目を引くのが、1934年5月に宝塚少女歌劇団（現・宝塚歌劇団）が上演したとされる、六部構成の軍国レビュー「太平洋行進曲」です。

冒頭に描かれるのは、太平洋上で暮らす日本海軍水兵たちの日常です。中盤まで上官と部下のコミカルなやり取りが続きます。ところが第五部にあたる「第五景　上海事件」で雰囲気が一変。中国軍との血なまぐさい戦闘シーンが展開されます。

「上海事件」は、1932年に上海で発生した、日中両軍の軍事衝突「第一次上海事変」に着想を得たものと思われます。そして登場人物たちが軍歌を口ずさみ、上演月の27日が「海軍記念日」であると告げる場面で、終幕を迎えるのです。

実はこの演目は、対馬海峡で日本海軍がロシア艦隊を打ち負かした、日本海海戦（1905年5月27～28日）での勝利を顕彰するためのものでした。華やかな歌劇の最終盤に、軍国主義的なメッセージを凝縮して織り込む。そんな構成で観衆の心を揺さぶったのです。

「思想強制の意図が明らかだと、国民から反発を受けてしまいます。だからこそ当時の軍部を中心に、情報を効果的に届ける方法が、熱心に研究されていました。折に触れて、その重要性を説いた軍人もいたほどです」。辻田さんが解説します。

結託した新聞社とレコード会社

辻田さんによると、軍歌もプロパガンダと相性が良かったそうです。例えば新聞社とレコード会社は、戦争を「商機」と捉えて結託。前のめりに作品を量産しました。その好例が「爆弾（肉弾）三勇士」にちなんだものです。

先述した「第一次上海事変」の最中、三人の日本人工兵らが爆弾を抱え、中国軍の陣地内で自爆する事件が起きました。工兵たちは英雄視され、愛国的な空気が日本中を覆い、民衆は沸き立ちます。

この動きに乗じたのが、新聞社です。大阪朝日新聞・東京朝日新聞（現・朝日新聞）が「肉弾三勇士」、大阪毎日新聞・東京日日新聞（現・毎日新聞）が「爆弾三勇士」と名付けた軍歌をつくろうと、紙面上で歌詞を公募。懸賞金付きという事情も手伝い、前者に約12万件、後者に約8万件もの応募があったといいます。

そして採用された歌詞にレコード会社が曲をつけた軍歌は、大ヒットを記録しました。

こうして振り返ると、当時の報道機関・民間企業とも、進んで国策に手を貸していたように思えます。なぜ立ち止まれなかったのでしょうか？　辻田さんはこう指摘します。

「レコード会社は元々、同業他社と熾烈な売り上げ競争に明け暮れていました。とはいえ表現規制が強まった戦時中に、従来と同じような作風の曲を出すことは難しい。かといって制作をやめると、印税も契約料も入ってこなくなってしまいます」

「そこで有事の際にも売りやすい、軍歌に着目したわけです。新聞で歌詞を募れば、レコードの販路を拡大できます。応募者は採用されたら懸賞金がもらえて、国も得をする。みんなが『ウィンウィン』になるから、誰も止められなかったのでしょう」

権力と楽しさという共通項

辻田さんの語りを聞きつつ、プロパガンダと「啓発ことば」の共通項について考えてみました。筆者は少なくとも二つの点で、通底する部分があるのではないかと思っています。

一つは、情報の発信者と受信者との間に、ある種の権力関係が存在することです。

プロパガンダは人々の生活への影響力を持つ国家が、国民に対して思想を植え付ける営みと言い換えられます。翻って「啓発ことば」は、人事権を有する企業が、望ましい労働者のイメージを雇用する働き手に浸透させる手段となってきました。

国家と企業が行使できる権限の強さは、大きく異なります。今回の例で言えば、戦前・戦中期と現代という、時代の違いも考慮しなければなりません。

一方で、権力を持つ側（国家・企業）が理想とする思想や人物像を示し、権力を持たざる側（国民・働き手）を巻き込んでいく構図は酷似しています。

もう一つは、いずれも「楽しさ」の演出を重んじる点です。戦前・戦中期の軍国主義には、個人の行動や自由を縛る側面が見て取れます。また労働についても、業務中は仕事以外の活動が原則として制限される点で、本質的に苦しみを伴う部分があると言えるでしょう。

それぞれ、明るく前向きなものとして意義づけなければ、広く受け入れられることはない。だからこそ、往時の国家は少女歌劇団に軍国主義を賛美させ、企業は「人財」といった言葉を発明しなければならなかった――。そんな仮説が立てられそうです。

もちろん、プロパガンダと「啓発ことば」は別物。単純に比較できません。しかし両者の構造を分析すれば、自分が情報の受け手となったときに、取るべき行動を吟味するための材料になるかもしれない。そう感じています。

流布される「格好いい」職業像

ところで近年、デジタル化の進展により、時間や場所にとらわれない「自由な」働き方を売りにする職業が現れています。とりわけ象徴的なのが、企業と直接の雇用関係を結ばず、インターネット経由で単発の仕事を受注する「ギグワーク」と呼ばれる業態です。

米国のネット通販大手アマゾンでは、個人に荷物の配送業務を委託する制度「アマゾンフレックス」を導入しています。日本法人アマゾンジャパンも、2019年に運用を開始。働く日時や配送ペースを、現場担当者の意志で決められるとしてきました。

飲食店が作った弁当などを宅配する、いわゆるフードデリバリー業界にも、同様の仕組みが存在します。スマートフォンなどの専用アプリで、「個人事業主」のドライバーが配達依頼を受注し、顧客に商品を届けるというものです。

一方、労働者と企業のいびつな関係性が問題視されることは少なくありません。飲食宅配大手ウーバーイーツは、注文者と利用店双方による、ドライバーの評価を実施。数値が平均を下回ると、ドライバーは一方的に受注アプリの使用を制限される恐れがあるとされています。

アマゾンのケースを巡っても、ＡＩが決めたルートで荷物を運ぶうち、長時間労働が常態化した配達員の苦境が報じられてきました。いずれの企業も、配送先管理などを独自のアルゴリズム（計算手順）で行っています。その詳細は労働者側に明かされていません。

こうした現状について、辻田さんは語ります。「スマホや横文字を組み合わせ、何となく格好いい職業のイメージをつくりだす。でも現実には、十分な雇用保障がなされず、安い労働力として使い倒されてしまう。こうして雇い主の力が強まる結果となります」

戦時中にも行われたイメージアップ

実際には、職場で働き手の権利が守られていない。にもかかわらず、前向きで勇壮な言葉を使い、真っ当な労働環境であるかのように見せかける……。辻田さんは、戦時中にも、そんなことが行われていたと話します。

１９３９年７月、国家総動員法に基づく国民徴用令（後の国民勤労動員令）が施行されました。国民を軍需工場などでの強制労働に駆り出す勅令（天皇の命令）です。徴用を拒否すれば刑事罰が科せられるという、非常に厳しい内容でした。

この勅令によって動員された人々は当時、「応徴士（おうちょうし）」の名で呼ばれました。いかにも仰々しい字面ですが、背景に特別な意図があったと、辻田さんは解説します。

「呼称に『士（さむらい）』という漢字が含まれているように、どこか雄々しい響きがあります。徴兵され、国防のために最前線で戦う軍人同様、立派で重要な仕事なのだ。そんな印象を人々に与えるため、つくりだされた言葉だったのです」

「安上がりに済ませたい」という「セコさ」

軍需工場などで作業にあたった人々は、劣悪な労務管理に苦しむ場合がありました。職場で格上の「指導員」から暴行を受けたり、十分な食糧の提供を受けないまま働かせられたり。戦後に記された、元応徴士のそんな証言も残っています。

とはいえ、徴用令は法的な強制力を伴っていました。ひとたび命令を受ければ、応じざるを得なかったはずです。職業の名誉をことさらに誇る呼称を、あえて生み出す必要があったのでしょうか？　この点について、辻田さんは次のように推測します。

「無理やり動員されたところで、労働意欲など湧かないものです。一方、工場で嫌々働かれると、生産性が落ちてしまいます。だから働き手には『お国のために頑張ろう』と思ってもらった方がいい。一人ひとりの士気を上げる目的があったのでしょう」

「仕事にまつわる言葉を変えるだけで、工場全体の生産性が高まるのならば、これほど安上がりなことはありません。ギグワーカー（ギグワークに従事する労働者）にまつわる言説もそうですが、一見華やかな言葉遣いの裏側には、使用者側の『セコさ』があるように思います」

労働に与えられる特別な意味

徴用の歴史を振り返ると、労働に特別な意味を付与したい、国家の姿勢が垣間見えるようです。この傾向が特に強まったのが、戦時下でした。1940（昭和15）年11月8日に閣議決定された「勤労精神」にまつわる文書は、象徴的かもしれません。

勤労は皇国民の奉仕活動として其の国家性、人格性、生産性を一体的に高度に具現すべきものとす、従つて勤労は皇国に対する皇国民の責任たると共に栄誉たるべき事、各自の職分に於て其の能率を最高度に発揮すべきこと、秩序に従ひ服従を重んじ協同して産業の全体的効率を発揚すべきこと、全人格の発露として創意的自発的たるべきことを基調として勤労精神を確立す

——「勤労新体制確立要綱」（国立国会図書館リサーチ・ナビ）

勤労は単に対価を得る手段ではなく、国に奉仕するための栄誉ある営みだ。皇国民（天皇が治める国の国民）として責任をもって果たさねばならない。全人格を賭けて取り組み、

生産性を向上させよ――。そんな価値観が、ありありと示されています。

この考え方は、応徴士という呼称に反映されていると言えそうです。巧みな言葉遣いで人々の参加意欲を高め、過酷な労働を受け入れさせようとする。こうした態度は、現代の企業のギグワーカーに対する取り扱いにも通じるように思われます。

「政治的なプロパガンダを始めとした、人々の心を動かそうとする言葉の裏には、発する側の狙いがあります。『何らかの意図を隠そうとしているんじゃないか』。そう考えて、気をつけて捉えなければなりません」。辻田さんが語りました。

国がつくった「理想の日本人」像

人間性の「型」を形成し、それにあてがうように国民を動員する。そんな国家の振る舞いは、歴史上の様々な局面で現れてきました。辻田さんが著した『文部省の研究「理想の日本人像」を求めた百五十年』（2017年、文春新書）に、その点が克明に描かれています。明治時代から教育行政を司ってきた、文部省（現・文部科学省）の歩みを振り返る内容です。

同書によると、文部省は時の政治勢力や経済団体と結びつき、時代に即した日本人の「理想像」を示してきました。文明開化の時期なら自主自立の気風を備える個人、戦時中なら天皇に奉仕する臣民のイメージを打ち出す、といった具合です。

特に興味深いのが、高度成長期に起きた動きを伝えるくだりです。1963年6月24日、政界や産業界関係者でつくる中央教育審議会（中教審）は、当時の文部大臣から諮問を受けて「期待される人間像」を検討。1966年10月31日、政府に答申を提出しました。

答申の「まえがき」には、青少年を「職業の尊さを知り、勤労の徳を身につけた社会人」に育てるべきだと明記されています。更に本論で、全ての職業が「国家、社会に寄与」するものと説き、労働を強く奨励する傾向が見て取れます。

経済が右肩上がりで伸びゆく中、望ましい国民のあり方を、いわゆる「企業戦士」に求める――。そうやって人々の暮らしを方向付けようとする文言が、教育の根幹にまつわる文書に躍っていたのです。その露骨さに、筆者は驚きを覚えました。

時代の転換点に生まれるキーワード

もっとも、先述した日本人のイメージは、教育の指針を定めるための材料の一つです。辻田さんによると、実際には様々な審議過程を経て、修正されていきます。中教審などの意向が、そのまま学校現場に影響する仕組みにはなっていません。

にもかかわらず、国家が理想とする人物像を練り上げ、広く知らしめる。そのような営みには、どういった意味があるのでしょうか。辻田さんに尋ねてみました。

「一つ言えるのは、好ましい日本人像が、時代の転換点に打ち出されてきたということです。高度成長期なら猛烈に仕事に打ち込める点が良しとされます。一方で社会が成熟して以降は、朝な夕なに働く力より、個性や創造性が重んじられるようになりました」

「国家のありようが変遷するのに従い、教育の形も改めていかないといけません。『今の日本は行き詰まっているよね』と思われるタイミングに、生き方の理想像を示す。そうやって人々の心を動かそうとする意図があったのではないでしょうか」

世間の耳目を集め、ある思想を拡散するきっかけをつくる。そのような言葉を、辻田さんは「キーワード」と表現しました。いわく、「キーワード」は「新しいことをしよう」という問題意識が広く共有されているとき、効力を発揮するといいます。

「教育からは外れますが、有名な事例に触れておきましょう。太平洋戦争中、国策として『八紘一宇（はっこういちう）（天下を一つの家となすといった意味）』が一時掲げられました。田中智学という、日蓮主義者がつくった造語です」

「この造語は、アジア諸国に勢力を伸ばそうとしていた、当時の日本の情勢にぴったり合った。だから政府に持ち上げられたわけです。『侵略を正当化するものではない』と主張する人もいますが、一度使われれば実例になってしまう。言葉にはそういったところがあります」

魂揺さぶる言葉と距離を取る

辻田さんが言及した「キーワード」の概念は、「啓発ことば」にも通ずるように思われます。

例えば、「人財」が社会に浸透する過程。経済誌での出現頻度を経年で調べてみると、いわゆるバブル経済の崩壊などを機に、高まっていました。

「人財」は、「前向きに職務能力を磨く、自律的な働き手」といった意味合いで使われる言葉です。常に変質する時代の荒波を、自助努力で乗り越えていく。そうしたしなやかで屈強な労働者像は、教育コストの削減につながるなど、企業に好都合な要素を伴います。

翻って、「理想の日本人像」や、「八紘一宇」などの政治的な標語について考えてみましょう。国家の命令に忠実で、その発展に貢献する人物イメージを社会に流布する。そんな機能を持つことから、やはり言葉を発する側に有利と言えそうです。

時代の転換期を迎えると、従来の価値観に依(よ)って立つだけでは対応できない事態が増えていきます。「人財」の例で言えば、経済の低迷で企業が経営体力を損ない、社員教育や雇用保障が手薄になったことが、流行の背景にあると考えられるでしょう。

「キーワード」が、指針なき状況下で進むべき方向を示す、羅針盤に似た働きをすることもあるかもしれません。一方で戦時中のように、ある造語が絶対的な価値を持ち、人々を煽動（せんどう）する危険をはらむことも事実です。

「言葉は一度使われれば実例となる」。辻田さんの見解を繰り返し反芻（はんすう）しながら、個人の魂を揺さぶろうとする語句との距離感を、見直し続けたいと思いました。

企業が望む価値観を注ぎ込む研修

ここまで、「啓発ことば」と、国家による煽動との共通点について見てきました。もう一つ、筆者が注目したいのが、「研修」が果たす役割です。

「啓発ことば」の用例採集のための資料として、経済誌を参照することが少なくありません。目を通す中で、誌面企画のトレンドの変遷にも関心を持つようになりました。

とりわけ興味深かったのが、２０００年代に増加した特集記事です。当時は若年労働者の離職率の高まりと、非正規雇用者の職場への定着が課題となっていました。そんな情勢を受けて、企業研修の事例を取り上げる文章が量産されたのです。

社員を離島や山奥へ連れて行き、「修行」させる。海外にある子会社への視察旅行を、一から計画するよう命じる。社是への理解を深めるため、地域での職業体験事業に駆り出す——。そうした「体験型」プログラムが、多数紹介されていました。

勤務先が事業を通じて、どういった理念を実現したがっているのか。一連の研修は、企業の根本的な存在意義について、働き手に考えてもらう好機となります。自らの仕事に誇りを持ち、労働意欲を高めることにもつながりそうです。

一方で、企業側が称揚する価値観を、労働者の心に刻む手段にもなり得ます。例えば郊外の寺社に社員を隔離し、集団で創業者の言葉を「写経」させる。筆者の観測範囲では、そのように刷り込みの意図があからさまな研修も存在しました。

侵略に利用された「教育勅語」

「人間を一定の閉鎖的空間に置き、その心身を何らかの形で刺激する。そうすると、外部から思想をたたき込まれやすい心理状態になるものです。こうした構造は近代以降、統制のため、効率的に利用されてきました」。辻田さんが話します。

画一的・強制的な教育により、組織や権力に忠実な人間性を育む。その実例は枚挙にいとまがありません。特に分かりやすいのが、太平洋戦争下に行われた国粋主義的な施策です。辻田さんは「教育勅語」を巡る動きに触れました。

教育勅語は1890年、明治天皇の名前で発布されました。歴代天皇の偉業をたたえ、様々な徳目を守ることなどを、臣民に呼びかける内容です。戦時中は国威発揚や、アジア諸国に対する侵略の正当化に利用されました。

「当時の子どもは、天長節（天皇誕生日の旧称）といった、天皇にまつわる祝日に登校しなければなりませんでした。頭を垂れて教育勅語の捧読を聞いたり、御真影（天皇の写真）に拝礼したりするためです。天皇に従順な国民性の形成が狙いでした」

辻田さんいわく、教育勅語に元来、自国第一主義的な意味合いはなかったそうです。実際に読むと、古代中国の儒教に基づく徳目が目に入ります。更に「国憲（憲法）」「博愛」など西洋由来の概念も引きつつ、天皇中心の国家観の正当性が述べられています。

明治初期、日本は近代化のただなかにありました。西欧列強に対抗するため、国民を統合する必要に迫られていたのです。教育勅語の発布は、愛国心を広め、当時流行していた反政府的な自由民権運動を抑え込む一手段だったと、辻田さんは語ります。

「しかし、その後、拡大解釈され、『天皇の言葉に無条件に従わねばならない』とのメンタリティーを人々に植え付ける媒体となった。結果的に戦争を受け入れる態度も養ったのです。言葉そのものというより、使われ方が問題だったと思います」

辻田さんの解説を聞き、筆者は思いました。教育勅語の神格化が、ある種の「空気」によっても進展したのではないか、と。

文章に込められた精神性を、学校などで教え込まれる。その結果、人々が思想や習慣を内面化し、当たり前のように容認・従属してしまう……。そんなプロセスがあったのだろうと考えたのです。

こうした「同調圧力」が生じる状況は、現代の職場でもみられます。

2019年10月、電機大手パナソニックの男性社員が、過労を苦に自死しました。同社では当時、労務改革の一環で残業規制を実施。しかし男性は生前、自宅に残務を持ち帰り、翌朝までこなすことが日常的だったといいます。

労働基準監督署は自死を労災と認定。ただ、持ち帰り残業が会社側の指示で行われたとは認めなかったのです。この判断に同調するパナソニックに対し、男性の妻は損害賠償を求めて提訴を検討しました。すると一転して謝罪、和解に至ったのです。

仕事が過重でも、誰もが長時間労働に取り組んでいる。そのような環境では、無理に働き続けること自体が、絶対的な意味を持ちます。職場を覆う空気は、いつしか無言の同調圧力と化して、男性の心をむしばんでいったのでしょう。

残業規制があったにもかかわらず、環境が改善しなかった事実も示唆的です。組織内に蔓延した価値観が、社員の心の奥底に達する。そして岩盤のように固定化してしまう。その変遷過程は教育勅語のケースと重なるように思います。

「内なる戦前」への警戒を怠らない

国家や企業による価値観の拡散は、「教育（学校における教育勅語の刷り込み・企業研修など）→教化（社会や職場における同調圧力によるものも含む）→内面化」の順に進んでいくと言えそうです。

こうやって整理してみると、「教育」の段階で価値観の内容を精査できれば、煽動されるリスクを減らせるように思われます。では、具体的にどうすれば良いのか。辻田さんに尋ねてみると、次のような答えが返ってきました。

「歴史を学ぶ者としては、やはり過去の事例を参考にすることだと思います。人間のやることは、時代を経ても、それほど大きく変わりません。戦時下の動員の流れなどを知り、現代の事象に当てはめてみる。そうした思考実験が大切でしょう」

そして一人ひとりが、自らの心に批判の目を向けるべきだとも説きました。

「政府や企業など、メッセージを発する主体を警戒するのは、どちらかというと簡単です。一方で自分自身の中に、動員や煽動を肯定してしまう要素はないでしょうか。いわば『内なる戦前』への反省が、批判的な思考につながるように感じます」

価値観を広める側と受け取る側との相互作用。その磁場に引き込まれそうになったら、いったん立ち止まり、状況を俯瞰（ふかん）してみる。そんな試行錯誤の積み重ねこそ、私たちを取り巻く言葉や空気に耐性をつける、最良の手立てなのかもしれません。

功名心が持つ光と影

辻田さんの話は、歴史と天下国家のあり方にまで及ぶ、非常に壮大かつダイナミックな内容でした。一方で取材中、私たちの心を強く揺さぶる言説が、「物語」的な要素を含むと語っていたことが印象に残っています。これは、筆者が向き合ってきた「啓発ことば」のような語句にも共通する要素です。

いわゆるビジネス書や、働き方の指南本を読むと、檄文（げきぶん）にも似た文章が目に入ります。「もはや日本型雇用は崩壊した。企業の力に頼らず、職務スキルを高めよう。そして自分の力で未来を切り開く『人財』になろう」――。こうした主張と、しばしばセットで用いられる単語があります。「自己実現」です。

「自己実現」の定義は、キャリア形成にまつわる議論でよく引用される、米国の心理学者アブラハム・マズローが提唱した、「欲求五段階説」が分かりやすいかもしれません。

同説において「自己実現の欲求」は、一般に下段から「生理的欲求」「安全の欲求」「社会的欲求（親和欲求、所属と愛の欲求などとも）」「承認欲求」の順に構成される、ヒエラルキーの最高位に据えられます。衣食住と身の安全、所属集団における承認欲が満たされた後、社会生活で内面的欲求を実現する。そのような構図です。

自らが生きた証として、人々の記憶に残る功績を打ち立てたいと願うのは、至極自然なことでしょう。向上心や功名心は、日常に張りをもたらしてくれるものです。ただし肥大化しすぎれば、心を抑圧する重しにもなりかねません。

「自己実現」に心乱された就活

「自己実現」と聞くたび、筆者の頭の中を、昔の記憶がよぎります。就職活動に奔走していた、大学生の頃の出来事です。

就活を象徴する営みに「自己分析」があります。経歴の中から、採用面接でアピール可能な体験などを抜き出す作業です。サークル活動もアルバイトも長続きせず、学内で孤立しがちだった筆者。企業に提示できそうな過去は見当たりませんでした。

〝就活マニュアル〟本を読んでも、「強みはあなたの生き方に表れます」とあるだけ。自信など持ちようもなく、面接は惨敗続きです。何者にもなれず、社会へと伸びる蜘蛛（くも）の糸をたぐり寄せては弾かれる。耐えがたい苦痛でした。

そんなとき偶然参加したのが、数日間の日程で行われた、いわゆる自己啓発セミナーです。講師からは「叶えたい夢について発表する」という課題が与えられました。簡単に未来など描けるものかよ……と胸の内で毒づいたものです。

そんな心情を知ってか知らずか、講師は繰り返し言いました。「過去は変えられない、現在の自分を変えよう」。反復された言葉は脳裏に刻まれるもの。筆者は同年代の受講者らと、いつしか将来について熱っぽく語らうようになったのです。

「働かねば」と思い詰めた

自己啓発セミナーへの参加中は、白昼夢を見ているような、不思議な心持ちでした。マズローの「欲求五段階説」の全レイヤーを、一気に駆け上がったかと思うほどの全能感に浸れたのです。目標である就職すら果たせていなかったにもかかわらず。

夢を持つことは、企業が望む労働者像に近づき、自己実現を果たすための第一歩である。そうすれば世界の一員になれるのだ——。

当時の筆者は、そう思い込んでいました。社会を駆動させる、「勤労」という考え方に囚われすぎていたのです。

俗に言う社会人とは「企業に勤務したり、自ら事業を起こしたりして、生活費を稼いでいる存在」と定義できるでしょう。そして良い業績をあげ、出世や昇給といった恩恵を受けていることが、世間でのステータスと見なされることもままあります。

その意味で、セミナーを受けていた頃の筆者は、大げさに言えば「ようやく『人間』になる資格を得た」と舞い上がっていたのかもしれません。空虚で内実を伴わない夢であっても、自分と社会を強く結びつけ、自己実現を促す〝物語〟としてすがる他なかったのです。

当然ながら、仕事だけが生きる手段ではありません。そして労働の可否を問わず、一人ひとりが安らかに生きるため、人権が保障されています。そうした前提を忘れ「働かねばならぬ」と思わせるだけの強度が、〝物語〟には備わっているのです。

私たちは〝物語〟と決別できるのか？

この図式は、「自分の力で未来を切り開く『人財』になろう」などと、企業が働き手を鼓舞する状況とも相似形をなしています。

人事権を持つ企業の幹部層が広める、「好ましい働き手」のイメージ。そのような価値観が支配的になれば、あらゆる労働者が同調しようとするでしょう。

そしてうまく順応できず、安定した仕事に就けなかった人々は、自己責任論のもとで切り捨てられかねません。「自由な働き方」を求め、劣悪な待遇でプラットフォーム企業に搾取され続けるギグワーカーの増加など、その片鱗(へんりん)は社会のあちこちで見え始めています。

では、私たちは自己実現の〝物語〟と決別できるのでしょうか? 働き方に関わる言葉について、辻田さんは、「それは不可能だ」と語りました。「ゆえに、その〝物語〟が本当に正しいかどうか検討すべきです」とも。

生きている限り、人間は「自己実現したい」と思い、理想的な生き方を求めてしまうものです。向き合い方によって、未来を切り開く原動力にも、私たちを追い詰める刃にもなり得ます。

だからこそ、その内容を表象する言葉を、常に点検しなければならない。筆者は、辻田さんの発言をそう解釈しました。

ナチズムとの向き合い方から学べること

一方で私たちは、知らず知らずのうちに、より〝大きな物語〟に巻き込まれてしまいがちです。そのことの危うさを教えてくれる映画があります。『帰ってきたヒトラー』(監督：デヴィッド・ヴェンド／ドイツ／2015年)。アドルフ・ヒトラーが現代ドイツに現れ、大騒動を巻き起こす筋書きの作品です。

劇中、俳優のオリヴァー・マスッチ扮するヒトラーが街へと繰り出し、出演者ではない一般市民らと政治討議をする映像が挿入されます。彼ら・彼女らの多くが公然と語ったのは、「数を増やして職を奪う」移民の排斥や、「民族浄化」への希望でした。かつてのナチズムにも通ずる考え方です。

ドイツにおいては、ナチズムを公に賛美したり正当化したりすることが、法律で禁じられています。また歴史教育の現場でも、そのありようを批判的に捉える試みが、長く続いてきました。一方で近年、移民の受け入れが進み、更に国際情勢が混沌としていることなどが影響し、排外主義的な動きが目立ちつつあるとも指摘されています。

だからこそ、俳優が演じる「ヒトラーのそっくりさん」に、自らの主張を真剣に訴える市民たちの姿を見て、筆者は戦慄（せんりつ）せざるを得ませんでした。同時に、人々の心模様によって、ある種の強い物語性を備えたイデオロギーが、いつでも求心力を取り戻しうるという重い現実を、観客に突きつける映画なのではないかとも考えたのです。

同作のテーマと、企業が駆使する言葉を、単純に同一視することはできません。しかし現状を捉え直すための、豊かなヒントを含んでいると感じます。職場で働き手に対して示される言葉や思想を、過度に拒絶も追認もせず、冷静に吟味するという姿勢です。

「人財」などの言葉に込められた、企業の要請が絶対化される社会では、その期待に応えることこそが正義となります。経済格差が容認される環境に適応できず、貧困に苦しむ人々が、自ら死を選んでしまう事態も生じるかもしれません。

そのような状況を意識的に避けるためには、権力を持つ側に好都合な言説を相対化する、〝等身大の物語〟をつくることが欠かせません。なぜ働くのか。なぜ生きるのか。そうした問いを深め、人生の芯となる考え方を、自分なりに練り上げるということです。

自己実現の欲求に殺されないために、そして〝大きな物語〟に振り回されないために、精神的な寄る辺となり得る〝等身大の物語〟を、よりよいものに更新し続けていく。今ほど、そうした営みが求められる時代はないのではないでしょうか。

第九章　互いに求めすぎる企業と労働者
――赤木智弘さんが解く「人財」流行の謎

赤木智弘（あかぎ・ともひろ）
フリーライター。1975年、栃木県生まれ。2007年に『論座』（朝日新聞社）に「『丸山眞男』をひっぱたきたい　31歳フリーター。希望は、戦争。」を執筆し、話題を呼ぶ。以後、貧困問題を中心に、社会に蔓延する既得権益層に都合のいい考え方を批判している。主な著書に『若者を見殺しにする国　私を戦争に向かわせるものは何か』（双風舎）、『「当たり前」をひっぱたく　過ちを見過ごさないために』（河出書房新社）、『若者を見殺しにする国』（朝日文庫）、『経済成長って何で必要なんだろう？』（共著・光文社）、『下流中年　一億総貧困化の行方』（共著・SB新書）などがある。

企業が頻繁に用いる、「人財（人材）」といった、労働にまつわる〝意識高め〟な造語やフレーズ。「流行の背景には、企業と労働者の不適切な関係がある。働き方が待遇に見合っているか、見つめ直すべきではないか」。非正規労働を経験してきたフリーライター・赤木智弘さんは、そう分析します。企業が用いる、仕事を美化する語彙は、どのように働き手の心理と結びつくのか。赤木さんに読み解いてもらいました。

「人財」唱えつつ社員教育費は減少

「我が社は、社会の変化に対応できる『人財』を求めています」

求人サイト上に、そのような一文を掲げる企業は、今や珍しくありません。常に職務面での成長を望み、経営層のニーズを受けて、キャリアを柔軟に築く。そんな労働者像が見て取れます。

例えば、ある大手企業の関連会社は、人事にまつわる部署名に「人財」を採用しています。事業上の挑戦を後押しする環境を整え、社員一人ひとりの育成を支えたい――。そのような意図を文字に込めたと、自社サイト上で説明しています。

同じように社員を「財産」と捉え、部署名に「人財」と冠する企業は、業界を問わず存在します。その多くは、理念を実現すべく努めているのでしょう。一方で、「人財」という考え方が、必ずしも現実と一致していない状況もあるようです。

厚生労働省は、企業と事業所における教育訓練費用の支出状況を、年度ごとに「能力開発基本調査」としてまとめています。令和3（2021）年度の結果によると、OFF－JT（業務命令に基づき通常の仕事を一時的に離れて行う教育訓練）と自己啓発（労働者が自発的に行う職業能力開発）について、関連費用を支出した企業の割合は、前者が45・9％、後者が24・6％にとどまりました（令和4〈2022〉年度は、前者が46・3％、後者が29・6％）。

特にOFF－JTの割合は、平成20（2008）年の57・8％から、10ポイント以上も下落しています。加えて、正社員以外（派遣・請負を除く雇用形態の非正規労働者）にOFF－JTを実施した事業所の割合は29・8％。正社員に遠く及びません。

OJT（日常業務を通じた教育訓練）を重視していたり、経営状況がおぼつかなかったりと、企業ごとに事情があるのだと思います。しかし、仕事の基礎をなす社員教育への投資が減少基調である事実に、筆者は違和感を覚えました。

「『社員を大切にする』とうたうことで、働き手の自尊心を満たし、待遇の悪さを埋め合わせようとする。『人財』という言葉に、企業は〝福利厚生〟にも似た役割を期待しているのかもしれません」。赤木さんは、そう語ります。

正社員という立場にしがみつく人々

2007年に論考「『丸山眞男』をひっぱたきたい　31歳フリーター。希望は、戦争。」を発表した赤木さん。就職氷河期世代に生まれ、安定した職に就けなかった経験を踏まえ、経済格差を是正する契機として「戦争」を望む。そんな主張が賛否を呼びました。

論考が出された2000年代後半以降、非正社員の増加傾向は顕著です。厚労省によると、2021年の非正規労働者数は2075万人。直近10年間で260万人ほど増えました（2023年の非正規労働者数は2124万人）。定年後の高齢者を再度雇い入れるケースを含め、人件費削減などのため、企業が必要なときだけ働かせる「雇用の調整弁」と化している実情があります。

この点だけみれば、非正規労働が普遍化したと言えそうです。一方で赤木さんは、「正社員としてお金を稼いで一人前」という、世間一般の感覚は大きく変わっていないと指摘しました。

「いまだに多くの人々が、安定して働ける正社員への憧れを強く持っています。しかし経済成長の鈍化といった要因のため、採用されるチャンスは、かつてより少なくなってしまいました」

「加えて近年、正社員であっても、低賃金や劣悪な労働環境にあえぐケースが珍しくありません。仕事の対価が減る中、企業に欠かせない『人財』として認めて欲しい。そんな思いから正社員という立場にしがみつく状況があるのだと思います」

「神」として温存されるブラック企業

赤木さんは共著『下流中年 一億総貧困化の行方』（2016年、SB新書）において、「企業というのは現在、社会における新たなる〈神〉なのだろうか」と、読者に問いかけています。更に続く文章で、問題提起の根拠が示されます。

現在日本においては、企業に見出され正社員としての刻印を受けることが人間の始まりであり、人間になって初めて車を買ったり、家庭を築いたり、家を建てるだけの賃金を得ることができる。そもそも結婚して「家」を築くことですら、正社員として働き、一定の安定した収入を得ることでしか成し得ないのだ。（中略）

神である企業によって与えられるのは決してお金や家庭だけではない。共同体の構成員として暮らすための尊厳や満足感といった、社会の中で生きているという実感をも、企業という神から授けられるものなのである。人とのつながりも正社員という立場があり、仕事の中で多くの人と触れ合うことで得ていくものである。

――『下流中年　一億総貧困化の行方』

この記述に目を通し、筆者が疑問に思ったのが、従業員に違法な労働を強いる「ブラック企業」の取り扱いです。

例えば「早期の成長につながる」と説き、労務経験が少ない若手を店長などの重職に据え、休みなく仕事に従事させる。そのように、働き手を搾取する姿勢が明確な企業は、批判を集めてきました（第七章）。

近年、就職先について検討する際、ブラック企業を意識する学生が増えたとするデータも存在します。「正社員になれればいい」との考え方は少数派になりつつあるようです。

しかし赤木さんは、実際には多くの人々が、依然としてブラック企業を受け入れてしまっていると語りました。

「ブラック企業はまともに暮らせるだけの待遇を保障しません。しかし既に述べたように、正社員として働いてこそ自尊心が保たれる、との意識は社会に根強い。形だけでも正社員になれる環境を守るため、ブラック企業が温存されているのです」

「労働でお金を稼ぐことこそが正しい。職業人でなければ、社会のお荷物に過ぎない。そんな思考が共有される状況下で、企業は私たちを働き手の地位に位置づけてくれます。だからこそ『神』のような存在である、と言えるのではないでしょうか」

労働者が企業と結ぶ不健全な関係

もっとも、正社員の立場も安泰ではありません。

都留文科大学の後藤道夫名誉教授は、給料が最低賃金の1・3倍までの範囲に収まる「低賃金労働者」が、2009〜2020年の間にほぼ倍増したと試算。非正規労働者のみならず、正社員も含まれるとしています（2021年9月14日付　東京新聞ＴＯＫＹＯ Ｗｅｂ）。

加えて、職務上のスキルを自主的に高めるべき、という風潮は強まるばかりです。国が副業・兼業を奨励する状況も手伝い、機会や能力に恵まれた層と、そうでない層の格差は、正社員間で広がっているように思われます。

とはいえ正社員の待遇は、非正規労働者と比べれば、今なお恵まれていると赤木さんは話します。税金や各種経費などを給料から天引きでき、安易に解雇される可能性も低い。そうした点で、圧倒的に優位に立つからです。

その上で、労働者は企業と不健全な関係を取り結んでいる、と続けました。

「赤字企業が、公金などを受けて存続する場合があります。その際、コストカットのため切り捨てられるのは、非正規労働者です。事業上のリスクを負うべきは経営者なのに、末端の働き手に責任を転嫁している。これは非常におかしい」

「経営不振の企業は、淘汰されるべきだと思います。にもかかわらず、多くの人々が労働、特に正社員として働くことにこだわり、生きながらえさせてしまう。会社に所属し、お金を稼ぐことが、あまりに当然視されているからです」

そして仕事上の立ち位置や収入の多寡が、趣味などの私的領域におけるステータスまで決定すると、赤木さんは付け加えました。だからこそ、企業を自己実現のための、絶対的な基盤と見なす。そんな構造があるといいます。

企業の要求は立場や対価に見合うか?

反面で企業も、労働者に様々なことを望みます。「経営者目線」を持ち、組織の将来を見据えて働け。非正規労働者も、技術や経験を蓄積せよ——。そんな風に、働き手の立場や対価に見合わない事柄まで要請するというのは、筆者自身も体感してきたことです。

業績を上げ、成功しようと望む向上心は、企業と働き手の双方に豊かさをもたらします。ただし仕事の本質は、安定してお金を稼ぎ、生活の素地を整えるための手段に他なりません。労働に対して適正な報酬が支払われることは、働くための最低限の要件です。しかし厚労省の統計によると、非正規の一般労働者の平均給与額は、正社員の6割強にとどまります（2021年時点・翌年も同様）。労働者総数の4割近くを占めるにもかかわらず、雇用形態の違いによって、給与額に大きな差異が生じているのです。

そうした中でも、過剰な働きを従業員に要求する企業と、自己実現のための期待を企業にかけ過ぎてしまう労働者。「暮らしの原資を得る」という仕事の本質を離れて、互いに多くを求め合っている点で、両者は「どっちもどっち」であるとも思えます。

このような現実を覆い隠し、それぞれの結びつきを固定化させる。そのために企業が用いるのが、仕事を華美に見せる「人財」といった言葉だと、赤木さんは述べました。

企業側が提示する「人財」像がよしとされる職場において、労働者は絶え間ない努力を求められます。過酷な環境で追い込まれ、心身を壊せば、かえって生産性が低下する恐れもあるでしょう。

「うまく距離を置くためには、仕事から得られているものを、冷静に見つめ直すべきです」と赤木さん。企業による職務上の要求が、自らの待遇に見合うものか確認する。そのことが肝要だというのです。

「給料が少なすぎたり、意に沿う働き方ができなかったりしているなら、企業を突き放さなければいけません。ただ離職するにも、先立つものが必要です。新たな収入先が見込めず、元の職場にとどまらざるを得ない場合もあるでしょう」

「働かなくても生きていける社会」へ

赤木さんは、ここでも「働いて賃金を得てこそ一人前」という社会通念が課題になる、と話します。しかし、個人の力だけで抜本的な改善を図ろうとしても、限界がありそうです。そこで行政が介入し、労働の定義を広げる重要性を強調しました。

「仕事と聞くと、賃労働が真っ先に思い起こされがちです。しかし『いのちの電話』の相談員や民生委員といった、社会の維持に不可欠な業務を、無償で行っている事例はたくさんあります。もちろん、家事や育児も同様です」

「こうした営みだけに従事しても、安心して生きられるなら、人々の意識も変化するでしょう。そのために『負の所得税』（低所得者の所得税を免除して一定額を給付する仕組み）などの再分配策を講じ、衣食住が保障される必要があるのです」

誰もが仕事をせずとも、社会が回る仕組みを構築する。赤木さんの主張は、一見すると理想論と感じられるかもしれません。他方で、そうした〝荒療治〟を想定せざるを得ないほど、正社員や賃労働への執着が強固であるのは確かです。

そして「人財」を始めとする言葉は、その執着を一層揺るぎないものにしてしまう危険をはらみます。赤木さんの語りには、硬直した労働観をほどき、経済格差を緩やかにするためのヒントが、豊富に含まれていると思いました。

第十章　〝リスキリング〟首相発言への疑問

――「心に手を突っ込まれる」気味悪さ

産休・育休取得中の親御さんたちに対し、リスキリング（業務上の学び直し）を後押ししたい――。2023年1月、岸田文雄首相の口から飛び出した、そんな趣旨の国会答弁が物議を醸しました。聞き心地の良い言葉を駆使し、あらゆる人々を労働に巻き込む。筆者には、そのようなスタンスを打ち出しているように思われたのです。首相発言を踏まえて、リスキリングという言葉の意味と、政治との距離感について考えてみました。

「親御さんたちが見えていない」

リスキリングを巡る一連の出来事に関しては、当時大きく報道されたこともあり、よく覚えているという方も少なくないかもしれません。事の次第を振り返ってみます。

2023年1月27日の参議院本会議。代表質問に立った自民党の大家敏志議員が、産休・育休の取りづらさの背景に「昇進、昇給で同期から後れを取ること」があると述べました。そして取得者にリスキリングを奨励し、国が制度面で支援すべきだと訴えます。

これに対して岸田首相は「育児中など様々な状況にあっても主体的に学び直しに取り組む方々をしっかりと後押ししてまいります」と答弁。親御さんたちが職務能力向上に努めたり資格を得たりすることに、前向きな姿勢を示したのです。

SNS上では「職場復帰に向け自分を高めるのは良いことだ」といった賛成の声が上が

ります。ただ「産休・育休は休暇ではない」「育児したことがない者の発想だ」「当事者のことが見えていない」など否定的な意見も飛び交い、議論が巻き起こった経緯があります。

この出来事を知ったとき、筆者も強い違和感を抱きました。産休・育休の趣旨を取り違えている点はもちろん、子育てや学びのあり方を一方的に規定しようとしていると感じられたからです。心に手を突っ込まれるような薄気味悪さを覚えました。

育児にまつわる認識面での批判については、既に色々なメディア経由で表明されています。そこで、「リスキリング」という語句そのものに着目し、どのような論点が導き出せるか考えていくことにしましょう。

企業で「生き残る」ための学び直し

リスキリングは2020年前後に流行し始めた言葉で、字義通り「学び直し」を意味します。しかし、この説明だと、具体的な学習内容までは判然としません。そこで経済産業省の「デジタル時代の人材政策に関する検討会」関連資料を参照しました。

同会は経済人などの識者を交えて、デジタル社会における働き手の確保策などを議論する場です。2021年2月26日の会合でプレゼンを行った石原直子委員は、リスキリングを次のように定義しています。

「新しい職業に就くために、あるいは、今の職業で必要とされるスキルの大幅な変化に適応するために、必要なスキルを獲得する／させること」

近年では、特にデジタル化と同時に生まれる新しい職業や、仕事の進め方が大幅に変わるであろう職業につくためのスキル習得を指すことが増えている

——経済産業省　第2回 デジタル時代の人材政策に関する検討会　資料2－2 石原委員プレゼンテーション資料

昨今、事務職や営業職を含めた様々な社員に、プログラミングスキルなどを身につけてもらおうとする企業が目立ちます。デジタル実務を本業としない人向けを含め、全社的に職業訓練の場を設け、新技術への対応を加速する。そんな構図が見て取れます。

石原委員は、前掲の資料に「リスキリングしなければ、企業内で『価値を生み続ける』人材として生き残れない」ともつづっていました。時代の変化を感じ取り、鋭敏に反応できる労働者こそ需要が高まるのだと、発破をかける記述です。

インターネットやコンピュータが普及して久しい今、それを使いこなす術（すべ）を持てば、人

生の選択肢が広がるはずです。その意味で、リスキリングに勤しむことは、よりよい就労のあり方を考えるきっかけにもなり得ます。

以上の点から、リスキリングとは①先端技能を学習・体得し、②職務に応用することで働き方を刷新し、③労働市場において一定の立ち位置を確保するために行われる、とまとめられるでしょう。

選択の道を開くリカレント教育

一方、リスキリングと対になる概念としてよく持ち出されるのが、「リカレント教育」です。それぞれ、意味するところが微妙に異なるので、整理しておきたいと思います。

文部科学省によると、リカレント教育はＯＥＣＤが１９７０年代に打ち出した概念です。中長期的に教育と労働、余暇などを交互に行い、社会の変化に柔軟に対応できる人材を養成しよう、という思想が根底にあります。

ＯＥＣＤ開発センター所長などを務めたルイス・エメライ氏は、先進国の経済成長が頭打ちとなる中、失業率の増加と長期化を懸念。教育期間を分散することで、労働市場を流動化させ、一人ひとりが希望する職に就けるようになると考えました。

エメライ氏は「先進国型雇用不安への具体的対策」と題した論文（『季刊中央公論経営問

題』昭和五十三年冬季特別号掲載）で、リカレント教育の要点の一つに「できるだけ長い期間にわたってできるだけ多くの選択の道を開いておくこと」を挙げています。

いつでも教育が受けられれば、様々な事柄への興味関心を深め、納得ずくで進路を見定める機会が得やすくなる――。こうした考え方は、学歴偏重主義や校内暴力が問題化した1980年代の日本社会において、「生涯教育（学習）」の文脈で受け入れられたのです。

リカレント教育には、休職などの形で仕事から離れ、自発的に様々な事柄について学ぶという特徴があります。ある種、企業の意向に左右されるとも解釈できるリスキリングとは、この点で相違すると言えるでしょう。

「依存労働」が守る二つのもの

ここまで概観してきたリスキリング、リカレント教育は、主に賃労働に絡む考え方でした。賃労働の本質は利潤の追求です。仕事を通じた自己実現を含めて、「いかに職務能力を高め、競争に勝ち、多く稼ぐか」という価値観に貫かれています。

それでは、本章の原稿を書く発端となったテーマ、子育てに関してはどうでしょうか？

親が子どもを養育する場合に、明確な対価が支払われることは極めてまれです。赤ちゃんのおしめを素早く取り換えたり、上質なミルクを作ったりできるようになっても、一般に勤め先の賃金の額が上がることは考えにくいでしょう。

米国の哲学者エヴァ・フェダー・キテイは、育児のように、より脆弱(ぜいじゃく)な他者をケアする行為を「依存労働」と呼びました。その原理は、施しに見合った報酬を誰かと交換し合う、賃労働などのそれとは異なるのだといいます。


依存関係において(中略)被保護者(筆者註:養育中の子どもや介護される人)からの見返りを得るのは不可能かもしれない。依存労働者は自分が世話する人と互酬関係にあるのではなく、自身が被保護者を支えているのと同じように、彼女(筆者註:ケアする側の人)を支えている関係に権利がある。

——『愛の労働あるいは依存とケアの正義論』(2010年、岡野八代・牟田和恵監訳、白澤社発行・現代書館発売)

依存労働は、より弱い立場にある人々の生存に不可欠な、最低限のニーズを満たすために行われます。キテイは、この営みが「社会的協働」つまり「お互い様」の精神に支えられており、政策立案の指針にもなりうると説きました。

ケアが守るものは、社会的なつながりと人間の尊厳です。いずれを奪われても、私たちは命をつなぐことができません。

この点に関してキテイは、人間が等しく「お母さんの子ども」として生まれた事実を指摘しています。なお、ここでいう「お母さん」とは便宜上の表現です。当然、父親も含まれると解釈できるでしょう。

誰しも幼少期には、生きるために親（やそれに類する大人）の手を借りざるを得ない。ゆえに依存労働の担保は、社会全体で負うべき「道徳的な義務」であり、その責任をケアの主体だけに押しつけてはいけないのだ。そう主張しているのです。

言葉の暴力性をこそ自覚して欲しい

翻り、冒頭で触れた「産休・育休取得者にリスキリングを」という、政治家の主張に立ち戻ってみましょう。

筆者が違和感を覚えた理由。それはくだんの発言に、生存のためのケアに対する、基本的な敬意が感じられなかったからではないか。そして一人ひとりの親御さんの努力を、経済的な観念で査定しようという意図が垣間見えたからではないか。

そのように考えると、SNS上を中心に巻き起こった批判についても、理解しやすくなると思われます。

育児休業の取得率は、女性85・1%に対して、男性13・97%です（厚生労働省「令和3年度雇用均等基本調査」・令和4年度版では、女性80・2%、男性17・13%）。改善の兆しがあるとはいえ、子育てに伴う負担が、依然として一方の親に大きく偏っている現実を示しています。

加えて待機児童問題など、社会生活と育児との両立を妨げる課題を数え上げれば、限りがありません。解決のためには、福祉を始めとした社会制度の整備・改革が不可欠ですが、十分に進んでいないのが実情と言えます。

キテイが唱えた「道徳的な義務」の重要性を、政治の側が十分に認識せず、責任を果たし切れていないからこそ、親御さんたちにしわ寄せがいってしまっている。首相発言を巡って噴出した不満に触れ、筆者が感じたことです。

リスキリングという言葉が伴う響きは硬質で、私たちを否応（いやおう）なく学び直しへと駆り立てます。その強度こそが、時代を切り開くための力と勇気をもたらすのでしょう。

反面で権力を持つ側が振りかざせば、市民を労働へとからめとり、変化し続ける環境に適応できない者を、容赦なく切り捨てるための刃にもなります。政治に携わる人々には、この暴力性にこそ自覚的になって欲しい。そう思われてなりません。

第十一章

権力者がうたう「利便性」の罠
——堤未果さんが見抜く〝煽り〟の罪

堤未果（つつみ・みか）
国際ジャーナリスト。ニューヨーク州立大学国際関係論学科卒業、ニューヨーク市立大学国際関係論学科修士号取得。国連、米国野村證券等を経て現職。国内外の取材、講演、メディア出演を続ける。多くの著書は海外でも翻訳されている。『報道が教えてくれないアメリカ弱者革命』（海鳴社）で日本ジャーナリスト会議黒田清新人賞。『ルポ　貧困大国アメリカ』（岩波新書）で新書大賞2009、第56回日本エッセイスト・クラブ賞。著書に『ルポ 食が壊れる　私たちは何を食べさせられるのか？』（文春新書）、『デジタル・ファシズム　日本の資産と主権が消える』（NHK出版新書）、『日本が売られる』『堤未果のショック・ドクトリン　政府のやりたい放題から身を守る方法』（幻冬舎新書）、『国民の違和感は９割正しい』（PHP新書）他多数。WEB番組『月刊アンダーワールド』キャスター。

何らかの施策を推し進めようとするとき、得られるかもしれないメリットが、過度に強調される場合があります。「強い権力を持つ人々が、メリットしか言わないときは、特に気をつけなければなりません」。国際ジャーナリストの堤未果さんは、そのように語ります。ポジティブな言葉が、ベールに包み込んでしまう要素とは何か。近年物議を醸した政治家や企業家の言葉、そして政策にまつわる話題を基に、堤さんと考えました。

前首相が強調した〝切り札〟の意義

肯定的な表現を用いて、ある取り組みを広めようとする試みの例には、様々なものがあります。筆者の印象に強く残っているのが、2016年に運用が始まった、国民全員に12桁の個人番号を割り振る「マイナンバー制度」を巡る動きです。

「行政のデジタル化の〝鍵〟は、マイナンバーカードだ。役所に行かなくてもあらゆる手続きができる社会を実現するためには、マイナンバーカードが不可欠だ」

2020年9月、菅義偉前首相は自らの就任記者会見で、そう力説しました。右記の発言が象徴するように、個人番号を証明するマイナンバーカード（マイナカード）は、行政手続きの煩雑さを改める〝切り札〟と見なされてきたのです。

個人情報には従来、行政機関ごとに異なる番号があてがわれていました。それらをマイナンバーとしてまとめ、氏名や住所と併せて記載したマイナカードを役所などで提示することで、各種手続きを簡略化できるとされています。総務省によると、カードの有効申請受付率は人口比で79・3％（2024年2月4日時点）。着実に普及しつつあるようです。

ただ、マイナンバー制度が始まった2016年当時から、同制度の課題を取材してきた堤さんは、顔を曇らせてこう指摘します。

「確かにコンビニで住民票が出せるなど便利な点もあります。でも、その便利さが、安全や自由と引き替えに得られたものだったら、どうでしょうか？ 聞き心地の良い言葉でうやむやにされ、実はデメリットやリスクの方は、まだまだ多くの国民に知らされていないのです」

軽視された個人番号管理のリスク

一体、どういうことか。尋ねてみると、諸外国の類似制度を挙げて説明してくれました。

例えば米国では、全国民と永住権所有者、就労などが目的の一時的滞在者に9桁の「社会保障番号（Social Security Number=SSN）」が付与されます。

堤さんによると、元々は徴税のために個人特定用としてつくられたもので、金融機関の口座番号に紐づけられていました。しかし後に利用範囲が広がり、本人認証の手段として使われるようになった結果、多くの問題を引き起こしているといいます。

「SSNはローンを組む際の与信審査を始め、日常生活の様々な場面で活用されます。それだけに、外部に流出したり売買されたりする犯罪が後を絶ちません。2017年には1億4500万人分の番号がハッキングされた事件もありました」

「最大の問題は、番号を盗んで他人になりすます犯罪です。新型コロナウイルス禍を経て、別人名義でクレジットカードを作るケースが急増しました。あまりにも件数が多く、取り締まりが追いついていません」

一方、韓国では全国民共通の住民登録番号制度が採用されています。ネット上で転出入の手続きが行えるなど、マイナンバーに近い機能を持ちますが、北朝鮮のスパイをあぶり出す趣旨で改正された過去があり、治安維持装置の役割も担ってきました。

「こちらは番号に大量の個人情報を紐づけてしまった上に、カードを持ち歩くリスクが国民に浸透していません。そのためカードの紛失事案が絶えず、再発行費用が1千億ウォン(約110億円)に上っています。政府は頭を抱え、国会では既にカード廃止案も出ているそうです」。堤さんが、韓国の現状について語ります。

そして欧州に目を転じれば、納税者IDである「税務識別番号」など、分野別の番号を国民に割り当てるドイツのような国も存在します。中央集権的な独裁体制を敷いたナチス時代の反省から、各種情報を一元化せず、抑制的に取り扱ってきました。

このように概観すると、個人番号制度の運用方法は、国によって一様ではありません。ただし漏洩した場合を想定し、厳格な管理のために試行錯誤している点は共通しています。

翻って、日本ではマイナンバー制度の設計過程において、先述のリスクに関する検討がなおざりにされてきたと、堤さんは指摘しました。一番重要なセキュリティー面と、情報が漏洩した際の責任の所在が十分に考慮されないまま導入を急いでしまったことが、最大の問題なのだといいます。

「マイナンバー制度の推進派は、『先進国で制度がないのは日本だけ』『海外に後れを取るな』というフレーズをよく口にします。日本人はこれに弱い。『追いつかなきゃ』と焦らされ、実際に導入した国で判明した、制度のメリット・デメリットについてきちんと検証した上で議論すべきだったのに、そこを端折って一気に成立させてしまったのです」

早々に指摘された「身びいき」の疑惑

堤さんによると、別の問題も早い段階で取り沙汰されてきました。マイナンバー制度を巡る、政官財の癒着です。

同制度の前身は、住民基本台帳ネットワークシステム（住基ネット）。国と市区町村・都道府県をネットワークで結び、個人情報を利用する制度です。情報漏洩対策の不十分さなどを理由として、導入後に離脱する自治体が相次ぎ、一般にも浸透しませんでした。

システムの維持管理を担ったのが、財団法人「地方自治情報センター」（現・地方公共団体情報システム機構）」です。2016年4月に刊行された堤さんの著書『政府は必ず嘘をつく 増補版』（角川新書）には、同法人に関する以下の記述があります。

全国9か所に設置された財団法人「地方自治情報センター」に総務省から天下りした役員たちへ、高額報酬が支払われていたのだ。

システム自体が大して普及してもいないのに巨額の手当が税金から支払われているこの実態は途中で問題になり、住基ネットは廃止すべきだとの声が上がり出した。だがその矢先に、「マイナンバー」が登場。渡りに船とばかりに「地方自治情報センター」の看板は外され、「地方公共団体情報システム機構」という新しいものにつけかえられた。役員には引き続き総務省からの天下り官僚を迎え入れ、2015年度には700億円の予算を計上。安定した役員報酬が税金から流れこむしくみは、これでふたたび安泰となった。

――『政府は必ず嘘をつく 増補版』

つまり、総務省の官僚が天下りする団体が、引き続きマイナンバーの運用に携わっているというのです。

また2015年の段階で、マイナンバー制度の技術的側面を検討する内閣官房のワーキンググループに、大手電機企業幹部らが委員として参加していた事実も発覚。各人の所属組織が関連事業の多くを受注するなど、不審な点があると報じられています（2015年11月3日付 しんぶん赤旗）。

積極PRの裏で相次ぐトラブル

マイナカードが人々の手に行き渡りつつある今、これらの疑惑が顧みられる機会は、ほとんどありません。時代はむしろ、普及路線を前のめりに突き進んでいるように思われます。

2023年2月。河野太郎デジタル大臣は、「そうだ！マイナンバーカード取得しよう」と書かれたTシャツ姿で民放番組に出演し、次のように述べました。

「マイナンバーカードでこういうことができるというメリットの部分と、安全性に関する広報をもう少し積極的にやって行きたい」

これに先立つ2022年12月、2017～21年度に少なくとも約3万5000人分のマイナンバーが紛失・漏洩したことが発覚しました。河野氏のPR戦略には、セキュリティ面の脆弱性に対する不安を払拭したい思いがにじみ出ています。

しかし依然として、システムの改善は見通せません。マイナカードを使ったコンビニでの公的証明書交付サービスで、別人の書類が誤発行されるケースが続出。個人の公金受取口座を、自治体が他人のマイナンバーに結びつける事案も多発したのです。

更に、国が作成したマイナカード普及の「工程表」も問題視されました。2026年度から国立大学で授業の出欠確認にカードを使わせ、利用実績を運営交付金の配分に反映することが盛り込まれるなど、制度の趣旨と異なる計画が明らかになっています。

個人情報と利便性は釣り合うのか？

その一方で、国はマイナカードを健康保険証と一体化させた「マイナ保険証」の活用を推奨しています。既存の保険証について、窓口での医療費負担額を増やすといった、マイナ保険証の取得促進策は「実質的な強制だ」と批判されてきました。

堤さんは「カードを作成できない人が病院に行きづらくなれば、国民皆保険制度は実質的に崩れ、生存権を保障する憲法第25条に違反しかねません」と危機感を口にします。

「様々な問題が置き去りにされたまま、従来の保険証を2024年秋に廃止する（筆者註：その後、政府は同年12月の廃止を閣議決定）改正マイナンバー法が国会で成立してしまいました。情報管理があまりにお粗末な今の日本で、急いで国民の個人情報を一カ所に集めることは、国民と国家の双方にとってリスクが大きすぎるのです」

法改正によって、国家資格の更新申請時にも、マイナカードが使えるようになりました。用途を税・社会保障・災害対策に限っていた、制度開始当初の方針からの大転換です。利用を拡大させたい政権側の意向が強く働いていると言えます。

堤さんは近著『堤未果のショック・ドクトリン　政府のやりたい放題から身を守る方法』（2023年、幻冬舎新書）で、こう警鐘を鳴らしています。

「広範囲の個人情報が紐づけられたカードが、行政の判断で利用範囲をどんどん広げることができてしまう」「今は個人情報として保護されていても、政府が『公益として必要な情報です』と判断すれば、そんなルールは外されます」

確定申告を始めとした、複雑な行政手続きを簡素化できる点で、マイナンバー制度とマイナカードの効果は大きいものです。

ただし「行政デジタル化の鍵」といったメリットを押し出す言葉を受け、機微に触れる個人情報を公権力に差し出すことは、危うさもはらみます。先述した国立大学の運営交付金の例のように、使い方によっては、私たちの権利が脅かされかねません。

一連の取り組みを推進する声の中に、どういった意図が含まれているのか。改めて問い直し、今後とも注視していかねばならないと、堤さんとのやりとりを経て思いました。

ビル・ゲイツ氏が入れ込む農業支援

権力性の発露のため、体の良い言葉を駆使する。そうした振る舞いは、民間の組織によってもなされることがあります。

多くの著書で、いわゆる新自由主義的な政策や、グローバル資本による富の寡占について、批判的に論じてきた堤さん。「近年、多国籍企業と、各国政府や国際機関との距離が極度に近づいている」と話します。

その結果、「コーポラティズム国家」（政府の経済政策の決定プロセスにグローバル企業などが関与する国家）が生まれ、経済格差の拡大や公共サービスの崩壊、民主主義の破壊といった負の影響を及ぼしていると指摘しました。

「コーポラティズム国家の活動は、発展途上国をターゲットとして、様々な利益を吸い上げる手法から始まりました。その過程で、計画をスムーズに進めるべく使われてきたのが、『スローガン』の数々です」

一例として挙げたのが、国際NGO組織「アフリカ緑の革命のための同盟（Alliance for a Green Revolution in Africa／AGRA・本部＝ケニア）」の取り組みです。

「緑の革命」とは1960年代の農業改革を指します。稲や麦の多収穫品種を開発し、アジアや中南米の途上国に導入。食糧難の改善につなげるという趣旨でした。同じモデルを飢餓率が高いアフリカにも根付かせるべく、2006年に設立されたのがAGRAです。

AGRAは、アフリカ各国の元政治家や、多国籍企業幹部が関与する財団法人のメンバーなどから構成されています。品種改良した農作物を化学肥料によって育てれば、短期間に収量を増やせると主張してきました。

堤さんの著書『ルポ　食が壊れる　私たちは何を食べさせられるのか？』（2022年、文春新書）には、米マイクロソフト創業者で、AGRAのスポンサーの一つ、ビル＆メリンダ・ゲイツ財団共同議長のビル・ゲイツ氏が、支持者向けの会合で次のように語ったと書かれています。

「人類を飢餓から救うには、アグリテック（農業技術）に投資することが重要です」

——『ルポ　食が壊れる　私たちは何を食べさせられるのか？』

「理想的」な農業計画が生んだ格差

しかし堤さんによると、AGRAによる科学技術中心の農業計画は、想定されていたほどの成果を上げられませんでした。むしろ、弊害の大きさの方が目立つといいます。

「AGRAは数種類の遺伝子組み換え種子と化学肥料をアフリカ各国に提供しました。その影響を検証する第三者機関による現地調査で、在来作物の淘汰や、化学肥料と農薬に起因する河川の汚染が起き、住民の健康被害が広がったことが報告されています」

米国のタフツ大学は2020年、AGRAの活動実績を評価するため、アフリカの13カ国を対象に追跡調査を実施。主要作物の収量増加率は、団体設立から12年間で約18%と、生産性を倍増させるという当初の目標と乖離がありました。貧困レベルも、特に農村部で深刻なままであるとしています。堤さんは、次のように補足しました。

「更に小規模農家は、外国企業から種子や農業資材を買い続けなければいけなくなりました。こうして、地元住民と多国籍企業群との間にできた、経済的な上下関係によって、格差が固定されてしまったのです」

「非の打ちどころなき言葉」が隠す真実

堤さんいわく、似たようなことは、教育分野においても起こっているそうです。

新型コロナウイルスの流行以降、学校の授業をリモート化する流れが世界的に加速。日本でもＧＡＦＡＭ（ＧＡＭＡＭ／Google・Apple・Facebook〈Meta〉・Amazon・Microsoft）などが、自社の学習アプリやタブレット端末を各学校に提供しました。

コロナ禍においては、感染防止目的で学校が休校になるなど、教育環境が大きく変化しました。ＩＣＴ（情報通信技術）機器の導入により、リモート授業が実現したことを始め、教育格差の拡大に一定の歯止めがかかったのは事実です。

ただオンライン学習用の機器やアプリは、継続的な更新が欠かせません。関連費用は、基本的に公金によって賄われ、各種サービスを提供するグローバル企業に利益として還元されます。つまり国民の生活の原資が、海外へと流出しているのです。

この「公金循環システム」の問題点について、長年取材してきた堤さんは、次のように話します。

「『あなたの国の子どもたちみんなが、等しく学ぶチャンスを得られます』。アプリやタブレット端末を供給する巨大ＩＴ企業は、そんな魅力的な売り文句を全面に押し出します。教育業界という長期の『太客』を得るために、子どもの人権は効果的なキーワードなのです」

「しかし現場の教師たちに話を聞くと、オンライン教育に対しては疑問の声が少なくありません。『子どものために』という、非の打ちどころがなく、否定しづらい言葉につられて導入してしまう自治体が多いですが、リアルな教育よりメリットがあるかというと、正直微妙というところでしょう。欧州ではすでに、デジタル教育の弊害が問題視され、従来のやり方に戻す動きも出てきています」

魅力的なフレーズが覆う意図

農業と教育は、それぞれ心身の糧を育む営みであり、私たちの命をつなぐのに欠かせません。国境を越えて物的・人的資源を融通し合い、発展のために手を携えることには、大きな意味があります。

だからこそ大企業といった、強い権力を行使できる一握りの組織の意向が、それらの資源の扱い方を左右する事態は避けなければならないでしょう。しかし堤さんの話を聞く限り、現実はままならないようです。

堤さんとの語らいを通じて、現状を捉え直すためのヒントも数多く得られました。とりわけ注目に値すると感じたのは、「非の打ちどころがなく、否定しづらい」言葉選びを、企業の側が意図的に行うという指摘です。

深刻な社会問題を解決する上で、目指すべき未来像を掲げることは大切でしょう。一方で、提示された理想が、手法の問題点を覆い隠し、正当化してしまう場合も少なくありません。

一見して欠点や矛盾がなく、魅力的にさえ感じられる言葉の連なり。その背景に潜む思いに意識を向けることが、心を揺さぶる文句と適切な距離を取るための、第一歩となるのかもしれません。

「ワクチンパス」巡り渦巻いた賛否両論

ここまで見てきた種々の取り組みに、共通する特徴があります。「未曽有（みぞう）の危機」への対応を名目に推し進められてきたという点です。マイナンバーカードは「デジタル化の遅れ」、AGRAの施策は「地球規模の飢餓」が、それぞれ該当すると言えます。

コロナ禍の最中、同様の構図で、市民の私権が制限されたことは記憶に新しいのではないでしょうか。

ウイルスの流行が始まった4年ほど前から、社会の仕組みに色々な変化が起こりました。国民への外出自粛、飲食店に対する営業時間短縮の要請など、公権力による日常生活の制約は、特に影響が大きい取り組みであったと考えられます。

このうち「ワクチンパスポート（ワクチンパス）」と呼ばれる施策を覚えている方がいるかもしれません。新型コロナワクチンを接種したことや、ウイルス検査で陰性だったことを示す公的な証明書で、世界各国において導入されました。

日本では2021年夏に発行を開始。当初は厳格な渡航制限を課している国を訪れる際と、日本への入国時に限って活用されました。その後、飲食店やイベントで提示するといった形で、利用範囲が広がった経緯があります。

感染を封じ込めるための一手として注目を浴びた反面、提示を義務化した国々では混乱も生じました。本来任意であるべきワクチン接種を強いるものとして、フランスで大規模なデモが行われるなど、反発を招いたケースは少なくありません。

堤さんは、自らの取材拠点の一つである米国でも、否定的な受け止めが相次いだことを、こう振り返ります。

「国や自治体が、感染症拡大防止の名の下に、個人の行動を追跡する。ワクチンパスがその手段となっているのでは、という警戒の声と、自由を重視する合衆国憲法から逸脱しているという指摘から、赤の州（共和党知事がいる州）を中心に、政府の強引な手法に反対の声が上がっていました」

「結果として、接種を拒んだ軍人が戦闘機に乗れなくなり、パイロットが不足する事態まで生じました。いくら緊急事態下でも、国による行動制限は、ウイルスの封じ込めと引き換えに国民を傷つける『諸刃の剣』になりかねない。その危機感が、時間が経つにつれて、米国民に広がっていったのです」

私権制限に立ち上がったカナダの市民

新型コロナウイルスのワクチン接種を巡っては、公衆衛生と個人の選択権という両極の間で、様々な意見が交わされてきました。いずれの立場も最大限尊重されねばならず、一方に偏った政策が行われないよう、熟議を尽くす必要があると言えます。

「日本でも諸外国の例にもれず、ワクチン接種の是非を巡って国民が分断されてしまいましたね。これに関して、日本人にとってヒントになる出来事が、カナダで起きたことをご存知ですか？」。堤さんは取材中、筆者にそう問いかけました。

2022年1月、同国の首都オタワで、大規模な反政府デモが行われました。大型トラックが米国との国境を行き来する際、ワクチン接種を通行の条件とするジャスティン・トルドー首相の方針に、運転手たちが反旗を翻したのです。

堤さんによると、実際には運転手の大半が、既にワクチンの接種を終えていました。にもかかわらず、国の権限を強化する動きに、他の市民も反発。抗議活動は幅広い層の支持を得て、国内全土へと拡大しました。

「彼らが声を上げた理由は、ワクチンの是非ではありません。どさくさに紛れて自らの権力を拡大しようとする政府の暴走に対して怒り、立ち上がったのです」

「この流れに危機感を抱いたカナダ政府は、同年2月に『緊急事態法』を発動し、強権的な手法でデモを取り締まりました。そのとき、政府が自分たちの行為を正当化するために使った言葉が、『住民の安全を守る』だったのです」

トルドー氏は、米国との国境に架かる橋を封鎖したデモ隊を「カナダ経済の打撃となり、公共の安全を損なう」「われわれは違法かつ危険な行動の継続を容認しない」と非難。参加者らの銀行口座を凍結する手段に出ました。この出来事について、堤さんは次のように解説します。

「カナダは州ごとの主権が強く、知事が反対すれば国は政策を強制できません。しかし当初は『治安を守る』という首相の言葉を国内メディアが大きく報じたために、一般の国民の間でデモに対するマイナスイメージが広がり、首相側の主張に押し切られてしまった」

「でも最終的に、この手法は裏目に出ました。銀行で取り付け騒ぎが起き、緊急事態を解除せざるを得なくなったからです。一連の運動は『フリーダム・コンボイ（トラックに自由を）』と呼ばれ、周辺国に飛び火し、世界中に知れ渡ることになりました」

「環境保護」名目で農地を収奪

公益保護など、抗いがたい理由を口実に、為政者が私権を縛りつける。堤さんいわく、そのような動きは世界規模でみられます。

「例えばオランダでは、マルク・ルッテ首相が畜産農家の規模縮小政策を大胆に進めてきました。ウシのげっぷなどに含まれるメタンガスが、地球温暖化や気候変動の原因になるという理由から、農家を締め付け始めたのです」

具体的には、国内農家に家畜頭数の削減を要求。従わない場合、農地を取り上げることも辞さないという強行策をとり、批判を集めてきた経緯があります。堤さんは、同国政府の振る舞いの背景に、本来の目的とは異なる思惑があると語りました。

「ルッテ政権は、移民向けの安い住宅の建設地に加え、生活に先端技術を取り入れた都市『スーパーシティー』の用地取得を進めていました」

「そこで『気候変動対策』などの美しい言葉を掲げ、大量の農地を合法的に没収できるようにしました。地権者との交渉も省けるので、一石二鳥というわけです。この騙(だま)し討ちのようなやり方が、プライドの高い農家の怒りを買いました」

感染症や地球温暖化への対策、ＳＤＧｓ（持続可能な開発目標）の達成……。いずれも環境保護と社会の維持・発展を両立する上で、避けては通れない課題です。肯定的に捉え、一刻も早い実現を願う人々は少なくないことでしょう。

しかし誰もが親しみを持てる趣旨だからこそ、一つひとつの取り組みを裏打ちする気高い理想が、別の意図で〝転用〟される可能性を、念頭に置いておくべきだとも感じます。

ニューヨーク市長が胸を張った政策

「公」と「私」が対立したときに、聞き心地の良い言葉によって、知らず知らずのうちに前者が優先されてしまう。そんな事態を巡って、米国の自治体で進む、ある動きに注目していると、堤さんは語ります。

２０２３年4月17日、ニューヨーク市のエリック・アダムス市長が、公共機関で提供する食材の製造・流通過程で出る二酸化炭素の量を、２０３０年までに33％減らすと表明。これに合わせて〝Plant-Powered Carbon Challenge〟と呼ばれる計画を開始しました。

具体的には、民間企業や非営利団体の代表に、使用する食品由来の二酸化炭素を同期間中に25％削減するよう求めるものです。既存の食料調達方法に基づく排出量データの測定・評価に、市と提携する植物性食品推進事業者などの協力を得ることも盛り込んでいます。

「ニューヨーク市は、気候変動との闘いにおいて世界を牽引(けんいん)しています。食卓の献立(menus)の変更を含め、我々が選択肢(menu)として持つ全ての手段を駆使しているからです」。アダムス市長は記者会見で、そう胸を張りました。

二酸化炭素排出規制と監視の距離

地球規模で異常気象が常態化する今、温室効果ガス対策は急務です。堤さんはこの点を踏まえ、取り組み自体の必要性は強調しつつ、次のような懸念も示しました。

「ニューヨーク市の計画は、一見すると良いものと感じられるかもしれません。ただし、よく気をつけないと、行政の権限の拡大と、市民の監視体制強化につながりかねない。9・11(2001年の米国同時多発テロ)後の米国を思い出してください。『治安維持』を大義名分に、捜査当局の権限が拡大されていったのを覚えていますか?」

「決済記録から二酸化炭素排出量を計算し、利用に制限をかけるクレジットカードは近年、日本でも注目されています。『脱炭素』『地球環境保護』のうたい文句で進められる、こうした政策も同じ。どこへ向かうのか、誰が管理するのかなど、その方法論に注意が必要です」

堤さんは、ニューヨーク市の政策の本質が、中国政府が導入している「信用スコア」に通底する要素を持っているとも指摘します。

信用スコアとは、個人の年収や学歴、政治信条や社会的行動要素を「信用力」として数値化するものです。評点が高いと、ローンの金利優遇といった特典が受けられる一方、低い場合には就職・進学などで不利になる側面があります。

「望ましい食事や生活のあり方を、国家が一方的に規定してしまう。この手法の持つ意味を、美しい言葉が正当化し、都合の悪い部分を議論させないまま、先へ先へと進めてしまうことには、注意しなければなりません」

「感じが良い言葉」との向き合い方

二酸化炭素の排出量規制は、安定した自然環境を次世代に引き継ぐために欠かせません。一方で堤さんが述べたように、運用が過剰になれば、暮らしに大きな制約が加わりうるという危険と、常に隣り合わせであることも事実です。

またアダムス氏は、「気候変動との闘い」というスローガンを添えて、自身の政策を説明していました。字面ににじむ勇ましさや快さを、人々が受容した結果として、実施主体である行政機関の権限を強める場合もあるでしょう。

そのような未来を避けるには、どうすれば良いのか。堤さんは「強いメッセージ性を伴う言葉ほど、冷静に向き合うことが重要です」と説きます。

「スローガンは、スピーディに耳に入ってくるようにつくられています。私たちは、その印象を皮膚感覚的に受け取ってしまうもの。だからこそ思考の速度を落とし、文言に織り込まれた意図を、噛み砕きつつ捉えてみて欲しいです」

「感じが良い言葉と出会ったとき、いったん立ち止まり、『中身はどうなのだろうか』と問い直す。そんな風に『間を置く』ことが、今後は一層大切になるでしょう」

「色がつかない」事実を追う大切さ

加えて、政治家の発言と、実際に行われた政策の矛盾に注目することも重要だと、堤さんは説きました。

「米国のバラク・オバマ元大統領が『核なき世界』の価値を訴え、ノーベル平和賞を受賞したのは有名な話です。しかし実際には軍事予算を増やし、テロ対策と称して中東諸国に米兵を増派するなど、崇高な理念と矛盾する行動を取りました」

「お金には色がついていません。どこから出て、どこに流れ、誰が利益を得たのか。全体の流れを見れば、ひと目で分かります。美しい建前と違い、こちらは正直です。特に政治については、言葉でごまかせない部分の方に注目してみてください」

世にあふれる情報をつなぎ合わせて、「点」ではなく「線」として捉える。そして事実に基づき、惹句に溶け込んだ本音を見通す。

そのような習慣を身につけるための地道な努力が、言葉への〝耐性〟を強めてくれるのではないでしょうか。

幼児教育でプログラミングが人気？

堤さんとの対話を通じて、考えたことがあります。近年、急速なIT技術の普及により、幅広い領域で進むデジタル化についてです。

特に教育分野では、小学校においてプログラミングが必修化されるなど、幼い頃から関連スキルを養成する機会が着実に増えています。

先日、幼稚園・保育園に通う幼児向けに、プログラミングの概念に関して、おもちゃで学べるサービスを提供している企業の関係者とやりとりする機会がありました。

「おもちゃを活かした事業の経験は、これまでになかったんです。小学校入学前に、我が子にサービスを受けさせたい。そう考える親御さんからの問い合わせが止まりません」。

一昔前なら考えられない事態だと、担当者も驚いているようでした。

スマートフォンやタブレット端末が大衆化した今、IT技術・機器の使い方への知見を蓄えることは、将来の職業選択の幅を広げる上でも有効でしょう。

しかし、デジタル化のネガティブな側面について、国内外で取材してきた堤さんは、「技術には必ず、光と影の両面がある」と語ります。

「自分の頭で考えないといけない」

タブレット端末などで使う学習用アプリや、インターネットの検索機能は、ある問いへの最適解を即座に導き出してくれるものです。その一方で、集中力の欠如や思考の単純化といった、負の副産物をもたらしうることも意識する必要があるのだと、堤さんは述べます。

「ＩＣＴ機器を勉強に用いる時間が長い子どもほど、試験での正答率が低いというデータが存在します。実際には色々な要因が絡み合っており、１００％ＩＣＴ機器のせいだとは決めつけられません。ただデジタル教育を巡る議論は、これからも続くでしょう」

「教育というのは、様々な要素が子どもたちに影響する分野です。だからこそ利便性だけで突き進まず、テクノロジーが学習にどう作用しているのか、大人が総合的に検証しながら進めてゆくことが不可欠でしょう」

デジタル技術に頼り過ぎてしまうと、物事を深く掘り下げて捉える習慣が損なわれてしまうのではないか――。堤さんは、そんな懸念も口にしました。

「（タブレットが）ないと自分で全部頭で考えないといけない。（タブレットが）あると問題を間違ったりすると説明があって少しずつ進められる」。これはICT機器の学校への配備を促す文部科学省の公式動画で、ある少女が語った言葉です。

堤さんは「動画を観た時、デジタル教育が、ものを考える姿勢を二極化させることを示す、なんて象徴的なコメントだろうと、愕然としました」と言います。

「なぜなら、デジタル化の弊害を理解している世界的IT大手GAFAM幹部の大半は、自らの子どもを、昔ながらの授業を行う〝デジタルフリー〟の学校に通わせているからです」

「勉強の効率化」を合言葉として、ICT機器は流通し続けています。最新技術が教育業界を一大市場に変え、現場に深く根を張る。その結果、各種サービスを運用する企業群の権力を、必然的に肥大化させる事態にもなっているのです。

プラットフォーム企業との不均衡な関係

一方で、ネット上の検索エンジンを巡っても、サービスの提供者側と利用者側との間に不均衡な関係が築かれてきました。

検索結果の表示順は、グーグルなどプラットフォーム企業のアルゴリズム（計算手段）に左右されます。更に、SEO（検索エンジン最適化）対策を講じる情報発信元企業の取り組みにより、上位に配置されるサイトの顔ぶれも変動するのです。

アルゴリズムの詳細は、公開されないのが一般的です。仕組みを知ることは容易ではありません。そのため、プラットフォーム企業の意向が強く働きやすいと言えます。信憑（しんぴょう）性が疑わしい反面、人目を引く記述を多く含み、検索に引っかかりやすいサイトが目立ってしまう……。アルゴリズムの構成によって、そうした状況が生じる恐れも否めないのです。

ICT機器や検索エンジンは、適切に用いれば私たちの暮らしを豊かにしてくれるものです。しかし、様々な課題もはらんでいることを、十分に理解する必要があります。

ビッグテックの「外界」を想像する

無駄やストレスのない生活を営みたい。私たちが持つそんな願望は、社会のデジタル化を、加速度的に促進してきました。その波は、今や教育を始めとした、社会の根幹にまで及んでいます。現状の問題点について、堤さんは次のように解説しました。

「『ビッグテック』と呼ばれるGAFAMなどの巨大IT企業群は、自社サービスを売り込む上で、『利便性』『効率性』といったキーワードをちりばめて事業を展開してきました」

「『もっと快適さが欲しい』という欲求を刺激する言葉が、そのままマーケティングに結びつく世界なのです」


こうした環境を、どうやって生きていけば良いのでしょうか。筆者は、堤さんが著書『デジタル・ファシズム　日本の資産と主権が消える』（2021年、NHK出版新書）でつづっていた、次の一節にヒントがあると考えています。


GAFA（筆者註：GAFAM／GAMAM）がトップに君臨するこの世界は、これからますます快適になり、よりスマート化していくだろう。その中で私たちが子供に教えられることがあるとしたら、いかにGAFAの中で快適に生きるかではなく、「GAFAの外にも世界がある」という真実だ。

GAFAの外にも世界は存在する。

GAFAの中で評価されない人が評価される世界がある。

未来の選択肢は無限にあるということを、子供たちに教えなければならない。

――『デジタル・ファシズム　日本の資産と主権が消える』

ビッグテックが提供するサービスは、日常空間を網の目のごとく覆っています。場所や時間を問わず購買活動をし、学び、働く。あらゆる物事がネットを介してつながり、様々な格差が是正されるように見える世界は、「正しい」と思えるものです。

ただし既に述べた通り、その快さを裏打ちするのは、企業と消費者のいびつな結びつきです。デジタル技術の意義を喧伝する言葉に浸り、過度に依存してしまえば、支配的な構造が一層強固なものになるでしょう。政治と癒着し、市民への圧力と化す恐れも否めません。

だからこそ、手軽さや便利さの誘惑を受け流しながら、合理性を追求することで失われてしまう価値を想像してみる。そのような姿勢が、視野を広く保つと共に、変化を煽る言葉に踊らされない心を育むのかもしれません。

第十二章　「コミュ力」と大人の支配欲

――本田由紀さんが斬る「望ましい人間性」

本田由紀（ほんだ・ゆき）
東京大学大学院教育学研究科教授。日本学術会議連携会員。徳島県生まれ、香川県育ち。東京大学大学院教育学研究科博士課程単位取得退学。博士（教育学）。日本労働研究機構研究員、東京大学社会科学研究所助教授等を経て、2008年より現職。専門は教育社会学。教育・仕事・家族という３つの社会領域間の関係に関する実証研究を主として行う。著書に『「日本」ってどんな国？　国際比較データで社会が見えてくる』（ちくまプリマー新書）、『教育は何を評価してきたのか』（岩波新書）、『多元化する「能力」と日本社会　ハイパー・メリトクラシー化のなかで』（NTT出版、第６回大佛次郎論壇賞奨励賞）、『「家庭教育」の隘路』（勁草書房）など。

教育や就職活動の現場で、「コミュニケーション能力（コミュ力）」「主体性」などの言葉が使われています。〝人間性〟を評価する基準として、重要な概念と見なされてきました。「一連の語句は、特に採用面接において、担当者の好みにより応募者を選別するための道具になっている」。教育社会学者の本田由紀さんは、そう指摘します。言葉によって「望ましい資質」を規定しようとする大人たちの態度について、本田さんと考えました。

「理想の人材像」を絶対化する言葉

これまでに、様々な「啓発ことば」の類型を見てきました。一つひとつの語句を眺めてみると、字面の華やかさとは裏腹に、「雇用者にとって有意かどうか」「働くことに十分な価値を見いだせているか」といった、労働者の能力や性格を厳しく査定する色合いが濃いことに気がつきます。

企業活動は営利目的で行われるものです。自社の収益を拡大し、給与などの形で社員や株主に還元しなければなりません。その使命を果たすため、高い業績をあげることが期待できる人物を雇い入れ、働き手の労働意欲を高めたいと考えるのは、ごく自然な流れであると言えるでしょう。

他方、一連の語彙について気になるのが、働き手の〝人間性〟をも評価の射程に含んでいる点です。特に「人罪」などの造語は、企業が掲げる「理想の人材像」を絶対化し、イメージにそぐわない人物を切り捨てるかのような響きを伴います（第一章）。

経営者と労働者の間に、ある種の権力関係を築き上げ、固定化を促してしまう。そんな側面を持つ語句を、私たちはどう捉えれば良いのでしょうか。人格評価の言葉に詳しい、本田さんに話を聞きました。

就活で礼賛される「コミュ力」

インタビュー冒頭、前述の「啓発ことば」が持つ特徴が話題に上りました。語句が指し示す対象を厳密に定義しない、という点です。

例えば「人財」であれば、「企業の役に立つ人物」との意味を持ちますが、その具体的な構成要件は判然としません。つまり語句の内容を、使用者（企業）が恣意的に決められる、という構造が見て取れるのです。

本田さんは「このような抽象度が高い〝評価〟の言葉は、職場のみならず、若者の就職活動でも盛んに用いられてきた」と話します。

一例として挙げたのが、私たちにとってなじみ深い、人付き合いの巧拙を批評する概念「コミュ力」です。「コミュ力」は、とりわけ学生の新卒採用において、主要な選抜の尺度となってきました。

日本経済団体連合会（経団連）が2018年、会員企業を対象に行ったアンケート調査では、回答を寄せた597社の82・4%が採用選考にあたって「特に重視した」としています。「主体性」「チャレンジ精神」など、他の要素と比べても群を抜いて高い割合です。

コミュニケーションの質は、相手との関係性や場の雰囲気といった要素に左右されるものです。当然、表情や言葉遣いを工夫して、一定程度軌道修正できる余地もあるでしょう。とはいえ、完全な制御を可能にする「力」は想定しづらいように思われます。

にもかかわらず、どうして様々な企業が「コミュ力」に価値を見いだしてきたのでしょうか。本田さんは「ジェネラル（全方位的）な能力を持つと判断された人を雇用する、日本企業の特異な採用形態が関わっている」と指摘しました。

複雑な採用選考に役立つ指標

本田さんによると、「コミュ力」礼賛の風潮は、就活のあり方の変遷と共に強まってきたといいます。

1953年、学生の採用開始時期に関するルール「就職協定」が、企業と大学の間で締結されました。就活が学業に及ぼす影響を抑えることが主眼でしたが、バブル経済崩壊後の1997年に廃止。採用活動の早期化や長期化に拍車がかかります。

　更にインターネットの普及により、大手企業を中心に、大量の応募者が殺到する状況が生じました。このため面接の回数が増えた他、多数の求人に同時並行でエントリーすることが一般的となるなど、選考プロセスが複雑化したのです。

　やがて各企業では、重層的な採用過程に対応できる、より使いやすい「合否の基準」が求められるようになります。そこで存在感を強めたのが、本田さんいわく「コミュ力」でした。

　そもそも日本の新卒採用では、選考上、専門性よりもポテンシャル（潜在能力）の見極めに力点が置かれてきました。企業側が実務に必要な能力や経歴を指定した上で求人情報を出す、欧米式の「ジョブ型」雇用と比べ、採用基準が明確さに欠けます。

具体的なスキルを想定しない以上、採用担当者が把握できるのは、外面から推し量れる応募者の人柄や、話しぶりといった所作にまつわる情報が中心です。就労経験がない若者たちの選考において、人間性は必然的に重要な指標となっていきました。

　その傾向が特に強まったのが、2000年代。世界規模の金融危機・リーマンショックが起きるなどして、経営が悪化したことで、「厳選採用」の姿勢で学生と向き合う企業が増えたのです。面接での〝人格評価〟も一層盛んになったと、本田さんは説きます。

「採用担当者と似た青春時代を送ってきた学生が面接にやってくれば、自ずと話が盛り上がるでしょう。結果として、その学生は『コミュ力が高い』となりやすい。就活におけるコミュ力とは、担当者の好みと同義の概念だと言えます」

人間性の〝考査〟に利用される

就活の採用試験は、仕事や職場への適性の有無を判断するために行われます。企業が実施する筆記テストや、大学の授業の成績といった、比較的客観性がある情報も参照されるはずです。面接時の印象だけで全てが決まるわけではありません。

しかし本田さんいわく、例えば女性の応募者の場合、生真面目な話し方が「冷たく、柔軟性がない」などとして、低評価となることもあるといいます。

女性は常に他者を立て、人当たりが優しくあるべきだ——。そのような旧態依然とした価値観と、「コミュ力」が結びつき、不当な取り扱いにつながるケースは少なくないそうです。

「個人に内在しない性質を、あたかも実際にあるかのように捉える。更に『厳選採用』名目で、学生の人間性を〝考査〟に利用する。新卒採用の現場では、そういうことが行われています。評定者の私情を挟むため、判定に差別が含まれやすいのです」

新卒採用を通じて、企業は多様な人生背景を持つ学生との出会いを、学生は職務の内容にとらわれずに仕事を選ぶ機会を得られます。また応募者の将来性に注目するやり方が、若者の職業選択の幅を広げ、柔軟にしているとも考えられるでしょう。

ただ、採用担当者の胸三寸が合否に影響する点で、企業の裁量が極端に大きいことは確かです。本田さんが言及した権限の偏りを、「コミュ力」といった言葉が強めているところはないか。そのような観点で、現状を点検する重要性を思いました。

私たちを取り巻く「力」の意味

ところで、「コミュ力」という言葉には「力」が含まれています。労働の現場において、近年特に重視されがちな概念の一つです。書店に並ぶビジネス本の題名に、「雑談力」「地頭力」などのワードが躍っている場合も少なくありません。

一連の書籍に目を通してみると、実務に関わる具体的なスキルのみならず、人格を磨く価値を説くものが多いことに気づきます。対人関係を円滑化するために、言葉選びを工夫したり、話題の引き出しを増やしたりせよ、といった具合です。

こうした振る舞いが要求される風潮は、就活に臨む学生についても同様であるようです。人材紹介企業のダイヤモンド・ヒューマンリソース社が公開している資料「2023卒採用・就職活動の総括」を参照してみます。

同資料によると、全国の企業605社の86・2%が、学生の採用選考上「対人コミュニケーション力」を重視すると回答。「行動力」（60・1%）、「考察力・論理的思考力」（45・7%）などと続き、人間性を「力」に置き換えて捉える傾向が読み取れます。

「私たちは『力』という単語を見聞きしたとき、語句そのものが示すコノテーション（言外の意味）に引きずられてしまうものです。強い磁場を持つ言葉だからこそ、学生たちへの影響は大きいと思います」。本田さんは、そう語ります。

「力」のコノテーションとは何か。本田さんいわく、人間性を測るための、「縦軸」の指標のイメージです。

「例えば学力やコミュ力は、『高い』『低い』という、グラフの縦軸で評価されます。就活では『問題発見力・解決力』『将来構想力』なども言及されることがありますね」

「これらは主に、経営者ら比較的年長の企業人が『望ましい』『あったらいいな』と考え、若者に求めている要素と言えます」

「若者の劣化」懸念がトリガーに

本田さんによると、若者に多くの「力」を要求する機運は、1990年代後半以降にとりわけ高まったといいます。

文部科学省の中央教育審議会は、1996年7月の答申「21世紀を展望した我が国の教育の在り方について」で、「子供の自立が遅くなっている」などと指摘。学力以上に、主体性や豊かな人間性を育む「生きる力」の重要性を打ち出しました。

この方針は、学習内容の削減に代表される、いわゆる「ゆとり教育」に引き継がれています。社会のグローバル化に伴い、自己表現の巧みさといった対人関係に直結する能力を、経済界が学生に求め始めた時勢も重なり、教育改革が進んだのです。

子どもたちの心身に余裕をもたらすことで、他者と上手に協調し、自力で人生を切り開けるように育てていく――。そんな改革の趣旨と裏腹に、政策の根本には、若年層を厳しく統制しなければならないとの意識があったと、本田さんは話します。

「答申が出された時期の前後は、14歳の男子中学生が小学生5人を襲った『神戸連続児童殺傷事件』（1997年）など、凶悪な少年犯罪が話題を集めていました。政財界を中心に、『〝劣化〟した若者をたたき直すべきだ』との声が強まっていたのです」

「更にバブル経済崩壊後、日本社会の凋落（ちょうらく）が加速した事情もあります。窮状を打破してくれる都合の良い存在として、若者を捉える。そんな姿勢から、人間性を一方的に値踏みする、空虚な『力』の概念が乱造されたと言えます」

「足りなさ」の自覚を強いられる

様々な指標に照らして、個人の人格を価値づけ、練り上げようとする。そのような潮流が、若者たちに与えてきた心理的圧力の強さは見過ごせないと、本田さんは語ります。

ＯＥＣＤが２０１８年、加盟国の15歳に実施した学習到達度調査（ＰＩＳＡ）によると、「生きる意味」を実感しているか尋ねる設問で、日本の評点は73カ国・地域中最下位でした。また「自己効力感」にまつわる項目でも低い順位です。

この結果を巡り、本田さんは「様々な要因が考えられ、特定のデータだけで背景事情を読み解くのは難しい」。その上で、先述した「力」の評価に幼少期からさらされ続ける状況が、少なからず影響しているのではないかと推測します。

「乱立する評価軸の全てでトップになれれば、常に自信を持てることでしょう。でも、そのような人はごくわずかですよね。現実には、いずれかの軸について『この点は目標に達していない』と、『足りなさ』を刻み付ける作業を強いられがちです」

「こうした傾向は、学校を卒業し、働き始めても、基本的に変わることがありません。うまく立ち回れなければ『自己責任』にされてしまう。そんな状況を生き抜きたいと、安易な『力』の概念にしがみつく心情が生まれているのかもしれません」

そして本田さんは、「力」を表現する言葉が近年、ソフトな印象をまといつつあるとも分析します。経済用語としてよく使われる、「リーダーシップ」「レジリエンス（強靭さ・回復力）」といったカタカナ語が、それです。

一連の語句は、柔らかいイメージを伴うがゆえに、人々の口に上りやすいと考えられます。だからこそ、「何らかの能力や資質を身につけねばならない」というトレンドを、自然な形で強める役割を担っていると捉えられそうです。

自助努力に甘える政治の残念さ

ここまで概観してきた「力」に関する語彙は、必ずしも育むべき具体的なスキルや目標を定めるわけではありません。それゆえに、政治家や企業幹部など、社会的な影響力を持つ人々によって、都合良く解釈されてしまうリスクも伴っています。

2023年1月。岸田文雄首相が、通常国会の代表質問で、産休・育休中の親に「リスキリング」を奨励する考えを述べました。その後、「育児の大変さへの理解がない」などと、SNS上を中心に批判を集めた経緯があります（第十章）。

リスキリングは、時代に即した仕事上のスキルの習得を人々に促す点で、「力」にまつわる語句の一種と捉えられます。特にプログラミングの学習を指すことが多く、デジタル全盛の現代社会で暮らすために、必要な知識を授けてくれる営みであるのは確かです。

本田さんも、ICTなどを生かした産業の変革を通じて、日本経済を底上げする上で、リスキリングが鍵の一つになると指摘。その一方、行政が取り組むべき課題を、うやむやにする方便と化しているとも話しました。

「日本人の働き手のうち、本業以外の追加的な職業訓練を行っている人の割合を調べると、他国よりずっと低い。専門性が給料に反映されず、仕事ばかりが増えたり、低賃金・長時間労働のため、スキルアップの余裕がなかったりする事情があります」

「一連の課題の解決は本来、政治の仕事です。にもかかわらず、足元の『働かせ方』改革が進んでいません。『個人で能力開発ができるはず』と安直に考え、努力が報われない環境を温存させる。そんな『甘えの構造』があるのではないでしょうか」

権力を持つ側が、より弱い立場に置かれた人々に、社会を改善する責任を押し付けてしまう。そのような行為を根拠づける上で、様々な言葉が用いられていないか。十分に警戒する必要があると、本田さんとのやり取りを経て思いました。

「世界一」からの転落が招いた状況

本田さんが言及した、若者に様々な「力」の習得を求める大人たちの態度。その本質について考える上で、日本経済の落ち込みぶりに触れることは欠かせません。

『ジャパン・アズ・ナンバーワン』。1979年に、米国の社会学者エズラ・ヴォーゲル氏が手がけた著書のタイトルです。戦後に目覚ましい発展を遂げた日本社会の分析本で、書名は昭和時代の好景気を象徴する標語としても、人々に親しまれました。

1979年と言えば、2度目のオイルショックのさなか。また、既に高度成長期を脱していたものの、未来の展望は開けていました。製造業を始めとする基幹産業が活力を保ち、国内総生産（GDP）などの経済指標も伸び続けていたからです。

しかしバブル期の終焉と共に、状況は一変。経済の上昇気流が収まり、企業が採用活動を抑制した結果、「氷河期」と呼ばれるほどの就職難が生じました。先述の標語がまとった熱気も、泡沫の夢のごとく消え失せたのです。

その後、解決の糸口が見えず、階段の踊り場で足踏みを続けるような事態が続いています。国家の長きにわたる漂流は、公権力による市民の締め付けを強化するきっかけとなった――。本田さんは、そう語ります。

「日本人はかつて、独自のやり方で『世界一』の先進国になった、と舞い上がっていました。実際、一定の客観的な裏付けもあったのです。しかし国の発展が見込めなくなり、政治家も企業家も凋落から抜け出そうともがいています」

「その過程で、為政者が私たち国民に対して、『日本をもり立てるため、もっとうまく振る舞え』と求め始めました。実は、そうした姿勢を端的に表す言葉が、教育の領域において明らかに増えつつあります」

「態度」の強調が意味するもの

本田さんが代表例として挙げたのが、「教育の憲法」の異名を取る教育基本法です。第一次安倍晋三政権下の2006年に、内容が大きく改められました。従来と比べて愛国的な性格を強めたとされ、議論を巻き起こした経緯があります。

改正後の同法には、ある特徴が備わっています。子どもの人格を評価しようという意識に貫かれている点です。例えば、「教育の目標」を定めた第二条の第五項を参照すると、次のように書かれています。

伝統と文化を尊重し、それらをはぐくんできた我が国と郷土を愛するとともに、他国を尊重し、国際社会の平和と発展に寄与する態度を養うこと。

――教育基本法　第二条第五項

第二条には五つの項目が並んでいますが、それら全てに「態度を養（う）」という文言が入っています。本田さんは、「能力」の伸長以上に、「態度」を育む意義を強調している点にこそ注目すべきであると話しました。

「態度とは個人の振る舞い、特に外面に現れる行動や顔つきを指す言葉です。また『政治的態度』などと言われるように、内心について表現する上でも使われます。つまり同法の条文には、人間全体を査定しようとする趣があるのです」

「また第二条第五項の文章は、社会全体が地盤沈下した日本を、無理やり賞賛させようとする響きを伴っている。海外への屈折した劣等感を裏返した、ナショナリズム的な印象を強く受けます」

「望ましい学び」を押し付ける大人

「態度」に加えてもう一つ、教育基本法の中で、頻繁に使われている単語があります。「資質」です。「教育の目的」を規定した第一条に、象徴的な形で登場します。

教育は、人格の完成を目指し、平和で民主的な国家及び社会の形成者として必要な資質を備えた心身ともに健康な国民の育成を期して行われなければならない。

本田さんいわく、「資質」を具体化したものが「態度」であり、両者は密接に結びついているといいます。これらの概念のエッセンスは、教育課程の基準を示した学習指導要領にも盛り込まれました。

現行の学習指導要領は「主体的・対話的で深い学び」を目指すよう説いています。そのため、幼稚園と小中高校に「①知識及び技能、②思考力、判断力、表現力等、③学びに向かう力、人間性等」という軸に沿って、教科を整理することを求めているのです。

子どもたちの学習意欲を高める目的で環境を整えるとの趣旨自体は、まっとうであるように思われます。一方で、児童や生徒の「主体性」を成績と紐づける姿勢に注意が必要だと、本田さんは語りました。

「学習指導要領で言及されている主体性とは、政治家や教育者が抱く『望ましい学び』のイメージです。自らのあり方を、大人が希望する方向に寄せていく。そんな従順性を言い換えた表現だと理解できます」

「裏を返すと、大人が期待していないことについて主体的な行動を取った場合、正当であると見なされません。子どもの考え方や感じ方にまで、国が介入してしまう。いわば公権力による統制の根拠として、様々な言葉が用いられているのです」

ちなみに「主体性」は、産業界においても存在感を強めています。2022年1月に経団連が公表した会員企業への調査資料「採用と大学改革への期待に関するアンケート結果」では、大卒者に「特に期待する資質」の項目でトップでした。

上位者（経営者や教師）の意向に下位者（労働者や児童・生徒）が従い、協調する限りにおいて、「主体性」を認める——。そのような点で企業と学校は軌を一にしており、ある種の支配構造が生まれているのだと、本田さんは指摘しました。

道徳観が評価されることの意味

公教育の性格を水路づける当局側が、「理想的な」ものの捉え方を示し、学びの当事者である子どもを間接的に評価する。近年、そうした傾向に拍車がかかっているように思われます。平成末期に教科化された「道徳」においては、特に顕著かもしれません。

例えば、文部科学省が実施した、2024年度から使われる小学校向け教科書の検定。新聞報道などによると、学習指導要領にのっとった、「伝統と文化の尊重、国や郷土を愛する態度」の要素不足に関する指摘が13件に上りました。

指摘対象の一冊である2年生の教科書は、あんこ屋が登場する場面に「むかしからある日本の食べもので、すきなものはありますか」「これからも日本のあじをつたえていきたいね」という記述が追加された結果、合格に至ったといいます（2023年3月30日　朝日新聞デジタル）。

道徳とは本来、人間がよりよく生きるための指針となる概念です。そもそも、成績評価になじみません。また愛国心や愛郷心とは、自然と胸に湧き上がってくるもの。画一的な指標に照らして序列化すべき価値観ではないでしょう。

子どもの自由な発想を阻みかねない振る舞いが、「態度」「資質」といった、一見もっともらしい言葉によって正当化されてしまう。本田さんとの対話を踏まえ、そのような状況が生じた理由を、改めて理解しなければならないと思っています。

自助努力強いる「リスキリング」

能力や資質の「望ましさ」という基準にさらされるのは、子どもだけではありません。働く大人たちもまた、同じ潮流に巻き込まれているように思われます。そのことを示唆するのが、これまでに何度か触れてきた「リスキリング」ブームです。

リスキリングは、特にテクノロジーによって業務を効率化させるＤＸ（デジタルトランスフォーメーション）を推進する文脈で、その意義が盛んに説かれてきました。

デジタル技術に縁が薄い職種に就く人々にも、プログラミングなどに習熟するための機会を提供する。そのようにして、時代に即した能力を労働者に養ってもらおうとする企業は、徐々に増えつつあるように思われます。

ICTなどを上手に活かせれば、働きやすい環境をつくるのに役立ちます。関連スキルの習得を働き手に勧める上で、研修の費用を補助するといった、勤務先企業による支援は欠かせません。しかし、現実と理想との間には距離があるようです。

転職エージェントのワークポートは2023年1月、全国の企業の人事担当者133人に、リスキリングにまつわる調査を実施。「今すぐにでも必要」「すぐに必要ではないが今後必要になる」が合計84・9%に上ったのに対して、「実施している」との回答は23・3%にとどまっています。

実施していない理由については、人員不足やコスト面での課題が挙げられました。加えて「新しいことを始めることに抵抗がある管理職が多い」「経営者並びに経営者層が無理解」など、企業体質の問題と思われる要因も散見されたのです。

一方で経済産業省の「デジタル時代の人材政策に関する検討会」では、委員の一人が、こう主張しています。「リスキリングしなければ、企業内で『価値を生み続ける』人材として生き残れない」（第十章）。

組織の発展に役立つ資質を、自らの主体的な努力によって伸ばせるか——。そうした観点で働き手を査定し、選別する響きを、リスキリングという言葉は伴っています。「企業が『足手まとい』だと判断した人物を、切り捨てるための方便となってしまう。確かに、そのような側面を持つ語句だと思います」。本田さんは、そう述懐しました。

労働者への支配欲が強い日本企業

日本人の労働慣行について研究している本田さん。「そもそも社員が企業に従属しやすい働き方が、長期間続いてきた」と話します。

昭和時代からの一般的な雇用形態は「メンバーシップ型」と呼ばれます。採用段階で仕事に必要な労務経験や資格、勤務地を限定しない場合が多く、転勤が続くことも珍しくありません。その名の通り、企業と労働者の結びつきが強いと言えます。

メンバーシップ型雇用には、社員が解雇されにくい反面、企業側の人事権が肥大化しがちであるというデメリットもあります。ゆえに、必ずしも働き手の意に沿わない形で異動が行われる「玉突き人事」を始め、様々な弊害が生じてきました。

こうしたメンバーシップ型雇用に対置される概念が、近年話題になることが多い、「ジョブ型」と呼ばれる欧米発祥の雇用方式です。職務の範囲や勤務条件を、あらかじめ決めておく点が、メンバーシップ型と大きく異なります。

ジョブ型雇用においては、賃金が職務に紐づきます。そのため安易な配置転換ができず、実施する場合、雇用契約を締結し直さなければなりません。もちろん、こうした契約は万能ではありませんが、企業と労働者が比較的対等につながることも特徴と言えるでしょう。

業務上の無際限な命令を退け、働く人々の権利を守る上で、ジョブ型雇用は有効であるように思われます。しかし国内においては、別の概念である成果主義と混同するなど、企業側の権限を保つ方向で解釈されてきたと、本田さんは言います。

「日本企業は、労働者に対する支配欲がものすごく強い。好きなように使えて、期待以上の業績を残す存在であってほしい――。そんな願望が根底にあるのです。ジョブ型雇用の曲解や、過重労働を始めとした、働き方の問題の常態化に通じています」

「言葉の解像度」に敏感になる意義

労働を巡る諸課題が十分に解決されないまま、リスキリングを始めとした、自助努力を促す語句が一人歩きする社会。改善するには、どうしたら良いのでしょうか。本田さんに問うと「言葉の〝解像度〟への感度を高めることが重要」と返ってきました。

「環境を変えるのではなく、個人に何らかの努力を求める語句には説得力があります。例えば『コミュ力』という単語であれば、他人と会話する力を頑張って身につけねばならない、という方向に私たちの意識を誘導するからです」

「しかし内実を捉え直すと、『コミュ力』とは、何ら具体性を持っていないと気づきます。そうした言葉を積極的に使うのは、政治家や企業幹部など、社会的地位や権力を持つ人々です。背景にある意図を、よく吟味する必要があるでしょう」

意味の解像度が低い言葉と出会ったとき、「何か変だな」という違和感を持つ。そして、その感覚を身近な誰かと共有してみる。

そうした地道な作業の繰り返しの末に、状況を改めるための突破口が開けるのかもしれません。

差別をはらむ「コミュ力」

ここまで、本田さんとの対話内容についてつづってきました。個人的に、最も印象に残っているのが、「コミュ力」を巡るやりとりです。先述した通り、特に新卒採用の面接で、企業が主要な選抜基準の一つと見なしてきた経緯があります。

就職面接とは本来、職務上の具体的なスキルの有無を問う場です。しかし新卒採用の場合、就労経験がない学生たちが応募してきます。職場になじめそうか。組織が成長する原動力たり得るか。企業側は、そうした将来性を見極めようとします。

実務能力の提示が難しい学生たちを評価する上で、「コミュ力」は好都合な指標と言えます。場の雰囲気を盛り上げ、当意即妙に会話する。そんな風に相手の心をつかむ受け答えができるかどうかが、入社後の働きぶりを予測する手がかりになるからです。

一方で本田さんは「採用担当者の判断に、主観が入らざるを得ない」と指摘。「偶然話が弾むなど、コミュニケーションには環境要因が大きく関わります。にもかかわらず、その質を過度に重視する点で、差別的であると言わざるを得ません」と話しました。

級友が言い放った絶望的一言

「コミュ力」の程度を見定められる機会は、就活に限りません。むしろ日常生活にこそあふれているように思われます。例えば、友達の輪に入っていく際に、話術や人当たりの良さといった要素が強く意識されることはないでしょうか。

筆者は高校生の頃、クラスメイトとの距離を測りかね、積極的な交流を避けていました。関わり方が分からず、まごつくうちに、気づけばクラスで浮いた存在となっていたのです。

ある日、別教室へ移動しようとしたときのこと。他の生徒と雑談中の級友が、やにわに話しかけてきました。具体的な内容は覚えていませんが、他愛のない話題について、意見を求められたように記憶しています。

突然のことに驚き、口ごもり、答えに窮したためでしょう。級友は呆（あき）れた様子で、こう言ったのです。

「ずっと思っていたが、お前の反応はつまらない。もっと面白くなれよ」。腹の奥底から絶望感がせり上がってきました。

仲の良いグループに所属せず、〝根無し草〟だった筆者が、級友から「コミュ力」を評価された経験。心に巻き起こった、クラスという共同体から弾き出されることへの恐怖が、今でもありありと思い出されます。

「コミュ力」が本当に評価するもの

学校の児童・生徒間で自然に生じる序列は、俗に「スクールカースト」と呼ばれます。場の空気を敏感に察知し、適時適切に振る舞う。その術（すべ）に長（た）けているのが、いわゆる〝カースト上位層〟の人々であると理解されることが多いようです。

会話の巧拙とは、個人が持つ多様な性質の一つに過ぎません。また本田さんが述べたように、その成否は環境要因にも左右されるものです。しかしスクールカーストにおいては、ヒエラルキーでの位置付けを定める、決定的な因子の一つと捉えられます。

筆者の学生時代の体験は、就職面接のケースに通底しています。いずれの事例においても、集団の成員や加入候補者を、「コミュ力」の有無によって査定・選別するメカニズムが見て取れるからです。

この点に関して、文筆家・編集者の吉川浩満さんが、著書『哲学の門前』（2022年、紀伊國屋書店）に興味深い見解を記しています。

じつのところ、現代日本でコミュ力と呼ばれているものは、（知覚・感情・思考の伝達という意味での）コミュニケーション能力とは別のなにかではないか、そう私は疑っています。むしろそれは、組織集団に適応する能力、言い換えれば場のノリに同調したり場のノリを支配したりする能力なのではないかと。

――『哲学の門前』

吉川さんは更に、「コミュ力」を「人間集団のノリや権力構造に適応する能力」とも解釈。その上で、「コミュ力」が高い者を評価するのではなく、意見を通せる者を「コミュ力がある」と結論づける、倒錯した営みがなされているのではないかと疑問視しています。

一つの集団に固執しない

学校であれ企業であれ、共同体には共通の規範が欠かせません。「ノリや権力構造」は、自然状態のままでは混沌としかねない集団や組織に、秩序を授ける枠組みであると言えるでしょう。

吉川さんの論を踏まえるならば、その秩序を追認・維持・強化する概念が「コミュ力」であると考えられそうです。対人関係の構築能力が一定の水準に達している。そう認められた人物をメンバーに迎えれば、集団の同質性が高まり、基盤も安定します。

ただし、このような環境は、人情の機微に通じていると見なされた〝上位層〟による支配、そして人付き合いが不得手とされた〝下位層〟の抑圧と表裏一体です。後者の人々を「コミュ障」と呼び、蔑む風潮が、そのことを裏付けているように思われます。

「コミュ力」という言葉が形作る体制は、非常に強力です。その磁場に巻き込まれ、苦悩する事態を避ける上で、何ができるのでしょうか。筆者が高校時代に体験した出来事の後日談を引き合いに、考えてみます。

級友による声かけから少し経った頃、筆者は学習塾に通い始めました。教室で出会ったのは、他の学校からやってきた同年代の人たちです。出自も所属も異なる塾生との会話は刺激的で楽しく、「学校だけが居場所ではない」と悟る契機にもなりました。

進級・進学のための補習を受けたい生徒が集まる塾では、勉強が最優先。だからこそ人間関係が学校ほど濃密にならず、互いに程よい距離感を保てたのです。自校のクラスメイトの視線がなく、気後れせずに交われる利点もありました。

自らが身を置く共同体が、いかなる論理で駆動しているか把握した上で、別の価値体系を重んじる集団にも目を向ける。そのようにして視野を広げることで、一つの集団に固執することなく、心安らかに生きられると学んだ経験です。

人付き合いを巡って下された評価は、個人の本質的な価値と関係がありません。環境を変えれば、その評価は容易に覆り得るのです。そう認識するところから、「コミュ力」の呪縛をほどく過程が始まるのではないでしょうか。

第十三章 「社員は宝と言うけど…」——三木那由他さんが思う造語の危うさと希望

撮影：嶋田礼奈

三木那由他（みき・なゆた）
大阪大学大学院人文学研究科講師。専門は分析哲学、特にコミュニケーションと言語の哲学。もともとは哲学者ポール・グライスのコミュニケーション論を批判的に検討していたが、最近はそれをもとに提唱するようになった共同性基盤意味論という枠組みでの様々な不当なコミュニケーションの分析に関心を持っている。著書に『話し手の意味の心理性と公共性　コミュニケーションの哲学へ』『グライス 理性の哲学　コミュニケーションから形而上学まで』（勁草書房）、『言葉の展望台』『言葉の風景、哲学のレンズ』（講談社）、『会話を哲学する　コミュニケーションとマニピュレーション』（光文社新書）がある。2023年現在、文芸誌『群像』で「言葉の展望台」を、ウェブメディア「Re:Ron」で「ことばをほどく」を連載中。

街中を歩いていて、様々な「言い換え語」に出会うことはないでしょうか？　喫煙所が「卒煙支援ブース」になっていたり、列車の優先席に「おもいやりぞーん」と書かれていたり……。指し示している対象や、実質的な意味は同じなのに、それぞれの語句の字面は大きく異なります。言語哲学者の三木那由他さんは「言葉の変化は、私たちの行動に大きな影響を及ぼすもの。その点で、とても〝政治的〟な現象だと思います」と語ります。世にあふれる造語の本質について考えました。

心を動かすため、言葉を改める

「啓発ことば」と向き合い、様々な言い換え語について思考を巡らせてきた筆者。最近、気になっている表現があります。電車の「優先席」にまつわる語句です。

例えば京王電鉄の列車では、優先席付近に「おもいやりぞーん」と印刷されたシールが貼られています。移動のため、たまたま乗り込んだ車両で見つけ、興味を持ちました。

同社のウェブサイトによると、「人に優しい車内環境の整備」が狙いです。お年寄りや妊産婦、障害・疾患の当事者といった合理的配慮が必要な人々に、座席を進んで譲って欲しい。ユーザーに対して、そのように呼びかける意図が感じられます。

優先席も「おもいやりぞーん」も、「合理的配慮が求められる人のための座席」を意味する呼称であることは同じです。にもかかわらず、各々の語句から受ける印象は大きく異なり、全く別の言葉であるようにも思えてきます。

一体、どうしてなのか。疑問に思った筆者は、三木さんを取材しました。

言い換えで本当に変わるもの

大阪大学大学院で、人文学研究科講師として教壇に立つ三木さん。以前、自身の周辺でも、言い換え語を意識する出来事があったといいます。

「大学の敷地内に設置されている喫煙所の名前が、『卒煙支援ブース』に変わったんです。でも設備の実態は同じなので、『これは一体どういうことだろう?』と、不思議に思いました」

「卒煙」とは、あまり耳慣れない言葉かもしれません。『明鏡国語辞典 第三版』(2021年、大修館書店)によれば「たばこを吸う習慣をやめること。特に、一時的な禁煙ではなく、完全に喫煙習慣を断つこと」を指します。

しかし考えてみると、「卒煙支援ブース」とは少々妙な言い回しではないでしょうか。その意味が、タバコを吸いに行く場所である喫煙所の性質に、根本的に反するからです。

一方で三木さんは、呼び方の変更が利用者の心に起こす波紋に注目します。

「『卒煙支援ブース』と言われ始めて以降、喫煙所を使う学生から『タバコを吸うのが何となく後ろめたい』という声を聞くこともありました。『卒煙』の名を冠する場所で、それを実践しないのは不誠実に思える、と」

「つまり呼び方が変わる前後で、どういう振る舞いが『あり』で、何を『なし』とするかの基準が切り替わってしまっている。名付けた人が目指していたことかどうか分かりませんが、そのような効果が生じているのは確かでしょう」

「嗜好」と「指向」が示す意味の落差

「卒煙支援ブース」の例は、物事をどのように表現するかによって、許容・促進される行動の内容が変化することを示しています。

この点について三木さんは「実はとても〝政治的〟な現象だと思います」と付け加えました。ここで言う〝政治的〟とは、語句の言い換えが、私たちの暮らしに強い影響を及ぼすとの意味合いを持ちます。

三木さんは、同性愛にまつわる語句を引き合いに出し、発言の趣旨を次のように説明してくれました。

「例えば、誰を好きになるかということは、元々英語で〝sexual preference（性的嗜好好（こう）〟と言い表されていました。『好み』という語句が入っていると、『性的感情の対象を自分で決めている』とのニュアンスが出てしまう。同性愛者を好ましく思わない人たちの、『同性愛をやめさせろ』といった極端な主張に直結しかねません」

「そこで、代わりの言葉として提唱されたのが〝sexual orientation（性的指向）〟。すなわち、性的感情の対象はその人自身に備わったorientation（方向性）であって、好みに基づいて自由に選ぶものではないと明確化したのです」

「〝sexual orientation〟という用語を無視して、同性愛を選択可能な『趣味』のように扱うことは差別である。現在では、そんな認識が一般的となったように思います」

「性的嗜好」も「性的指向」も、個人のセクシュアリティーについて語る文脈で使われる点は同じです。ただし、前者が同性愛者の揶揄（やゆ）にも用いられがちなのに対して、後者は当事者の人権を守る上で重要な役割を果たしています。

これは、言い換え語が生み出した、ポジティブな結果の一つだと考えられるのではないでしょうか。

造語が社会にもたらす多様性

先述の「言葉の選択を通じて人々の意識を変える」という視点は、冒頭で触れた、京王電鉄における優先席の愛称「おもいやりぞーん」の例にも当てはまりそうです。

そもそも列車の優先席は、高齢者と障害者向けの「シルバーシート」として、1973年に当時の国鉄（現・JR）などが導入しました。そして「シルバー」が次第に「老い」のイメージと結びつき、「お年寄りが座る席」との理解が強まったと言えます。

その後、「シルバーシート」の名は広く親しまれるようになりました。反面で、乳幼児連れの親や、身体的ハンディキャップがある乗客も利用できるのだと、人々に認識されづらい状況を生じさせていたかもしれません。

JR東日本は1997年、「シルバーシート」を「優先席」に改称。親子や妊婦が描かれたピクトグラムも座席周辺に掲示し、高齢者のためだけのものではない点を明確化しました。他の鉄道各社も1990年代以降、同様の動きを見せています。

「おもいやりぞーん」は、こうした潮流の中で生まれた呼称の一つです。

京王電鉄によると、優先席の位置を明らかにするため、2006年に京王線・井の頭線の全車両に導入されました。付近では、混雑時に携帯電話の電源を切るよう呼びかけられるなど、万人が過ごしやすい環境づくりに一役買っています。

優先席ユーザーとして想定されにくかった乗客の存在を、改めて可視化し、様々な立場にある人々を包摂する。そのための一歩として呼び方の変更が機能しているとすれば、言葉の印象と私たちの心模様には、深い関係があると言えるかもしれません。

語句の言い換えには、それをなす側にとって好都合な形で、現実への認識を改変する力があります。当然、抑圧的に利用される恐れも否定できないでしょう。

しかし適切な形で行えば、社会に多様性をもたらすことにつながりうるのだと、三木さんとの対話を経て強く感じました。

私たちは話しながら「約束」する

「優先席」の言い換え語である「おもいやりぞーん」を始め、造語には人々の感覚を、多様性に対して開かせてくれる可能性があります。一方で、この本で何度か取り上げてきた「人財」のように、人間の序列化を促しかねないものも少なくありません。

言葉とコミュニケーションの関係性を研究している、三木さん。発話によって何かを伝えようとする行為を対象に、その本質を探ってきました。インタビュー中、「人財」についての印象を尋ねてみると、こんな答えが返ってきました。

「社員は財産、宝物である。そうアピールしたい、企業側の意図を感じます」。働き手を大切にしていると、対外的に強く示そうとする姿勢は、確かに読み取れるかもしれません。

一方で、自身のコミュニケーション観に照らして、気になった点もあるそうです。

三木さんによると、私たちはコミュニケーションをとる際、相手と様々な「約束」を交わしています。

例えば話し手が「いい天気だね」と発言したとき、話し手は「自分は今日が晴天だと信じているんだぞ」というふうに振る舞うでしょうし、聞き手も「今日は晴天だと少なくともこの話し手は信じているのだな」と考えているように振る舞うはずです。つまり「約束」とは、会話の前提となる合意を指します。

「英国の哲学者マーガレット・ギルバートは、そのような合意を『共同的コミットメント』と呼びました。共同的コミットメントが形成される状況においては、一つひとつの言葉の意味も、話し手と聞き手が協力しながら定義していくことになります」

しかし「人財」の内実について語らう場面では、そうした〝協業体制〟が必ずしも成り立たないのではないかと、三木さんは考えているといいます。「企業の上層部が一般の働き手に対して用いることが多い」という、語句の特徴が理由です。

「どんな処遇なら、労働者を『人財』と見なしていることになるかに関して、企業幹部と新入社員の認識にずれが生じたとします。本来なら共同的コミットメントをつくる過程で、『こういう取り扱いなら妥当だね』と落とし所を見つけられるでしょう」

「ただ一般に、新人が意見を述べるのは簡単ではありません。結果的に発言権が強い幹部の考えが優先される可能性もある。『人財』が実体を伴うには、話し手と聞き手が意見をすり合わせる段階で、互いの対等性が保障されなければならないと思います」

言葉の意味が歪められる暴力

ところで、三木さんいわく、先述した共同的コミットメントには注目すべき特色があります。会話に参加している人々に、コミュニケーションの前提となる合意にふさわしい行動をとるよう要請する、という点です。

三木さんの著書『言葉の展望台』（2022年、講談社）に登場する例を基に考えてみます。友人と「これから一緒に毎朝ジョギングすることにしよう」と約束した後、寝坊して相手を待たせたり、予定をすっぽかしたりすれば、非難は免れないでしょう。

すなわち、同じ共同的コミットメントに関わっている人が、合意の範囲を逸脱する言動に及んだとき、他の会話参加者は戒める権利を持つのです。この権利を行使することで、互いの振る舞いが事前の取り決めに沿うように水路づけられていきます。

ところが、経営者と新入社員といったように、参加者同士の立場が非対称的な場合、この調整機能が十分に働かなくなるときがあると考えられます。

すると、どういったことが起こりうるのか。企業が「人財」を用いるケースを念頭に、三木さんが語ります。

「『人材』を『人財』と表すと、書き換える前後で許容される行動が変わります。『働き手を一層大切にする』との共同的コミットメントが、企業内で形成されたとしましょう。基準を満たすように働き方を改善する、といったことが期待されそうです」

「しかし仮に、以前から続く労働問題が相変わらず放置されるなどしていて、しかも職場の上司が状況をコントロールできるとしたら、どうでしょうか。立場が弱い部下は、きっと抗議しづらいだろうなと思います」

この場合、実質的には、企業や上司にとって有利な方向に合意が歪められています。にもかかわらず「人財」が使われ続けると、言葉の上では公正さが保たれているように感じられるため、現実との間に矛盾が生じるのです。

コミュニケーションにおいて、より強い権力を有する側が、発言や言葉の意味を一方的に定めたり変えたりしてしまう。こうした状況を、三木さんは「意味の占有」と呼んでいます。

多様な人々と言葉を磨く

利害や立場が異なる者同士が納得し合える、最大公約数的な合意。それを反故（ほご）にする

「意味の占有」を回避するために、何かできることはあるのでしょうか。

三木さんは「万能な対策はないかもしれません。でも、不当なコミュニケーションが起こりにくい言葉選びは可能だと思います」と語ります。そして、自身がトランスジェンダーであることに触れながら、次のように説明してくれました。

三木さんは教員として大学に勤めながら、トランスジェンダー当事者のコミュニティーにも属しています。メンバーの間では、性別などに関する単語を、自分たちの感覚になじみやすい表現に改めて用いる文化があるのだそうです。

生まれつきの性別は、一般に「体の性別」と呼ばれます。これを「(社会から)割り当てられた性別」と言い換え、性自認を巡る当事者の葛藤が、社会のありようと地続きであると示す、といったことが行われているといいます。

そして三木さんは、こうした語句を、コミュニティー外の友人や家族に対しても積極的に使っているそうです。その理由として、トランスジェンダーにまつわる偏見や差別の解消を挙げました。

「トランスジェンダーの人々が、自分の性について非当事者に伝えるとき、その内容が聞き手にとって都合よく解釈される場面は少なくありません。だからこそ、当事者が望まぬコミュニケーションにつながりにくい言葉を広めるようにしています」

「『人財』についても、同じことができると思うんです。企業内外の人々と話し合いながら、職場の上位者の意向が、その意味内容に反映されづらい呼称を一緒に考えてみる。そんな風に言葉を磨いていけるのではないでしょうか」

語句が意味するところを決めるプロセスに、幅広い層を巻き込み、一部の人に有利になるような独善的判断を防ぐ。そのための地道な努力が、より良いコミュニケーションを生み出すきっかけになるのかもしれません。

「啓発ことば」が濃くした『ゲ謎』の陰影

「啓発ことば」について、哲学的な観点から語り合った、三木さんへのインタビュー。言葉を交わす中で、ふと思ったことがあります。

他者の心に作用し、奮起させようとするのが「啓発ことば」であるならば、それが話者自身に向けられたときに、どんな結果が生じるのだろう……と。

三木さんは著書『会話を哲学する　コミュニケーションとマニピュレーション』（2022年、光文社新書）で、フィクションの漫画や小説を題材に、会話の本質に迫ろうと試みています。その取り組みにならい、本章の最後に、筆者が鑑賞した人気アニメ映画の考察を交えながら、先述した疑問に向き合ってみようと思います。

その映画とは、『鬼太郎誕生　ゲゲゲの謎』（東映・2023年11月17日公開、以下は通称の『ゲ謎』）です。

世代を超えて親しまれている、妖怪漫画の金字塔『ゲゲゲの鬼太郎』。その派生作品である『ゲ謎』では、幽霊族のメインキャラクター・鬼太郎を陰に陽に支える父、「目玉おやじ」の過去が描かれます（この先で作品の核心に関わる内容に触れています。まだご覧になっていない方は、読み進める際にご注意ください）。

映画の舞台は昭和31（1956）年の日本です。密命を帯び、東京から地方の山村・哭倉村（なぐらむら）へと赴く主人公・水木。現地で出会った、かつての目玉おやじ（通称「ゲゲ郎」）と、村で受け継がれてきた因習を巡る秘密に巻き込まれていきます。

等身が高い、白髪の青年の姿で登場するゲゲ郎に加え、原作のおどろおどろしい世界観を反映した衝撃的なシナリオが話題を呼び、興行収入は26・5億円を突破しました（2024年2月中旬時点）。「第47回日本アカデミー賞」で優秀アニメーション作品賞を受賞するなど、人気は確かであるようです。筆者もすっかり魅了され、本稿執筆時点で8回観ています。

心惹かれる要素はいくつもあるのですが、妙味となっているのが複雑な人間模様でしょう。わけても、作中で重要な位置付けを与えられた地元の名家・龍賀家の人々の関係性は、各々の利害が蜘蛛の糸のごとく絡み合う点で特筆すべきものです。

筆者の目を引いた人物の一人に、同家の長女・乙米がいます。彼女は村に侵入したゲゲ郎を捕縛。そして一族興隆の立役者、実父・時貞の夢のため、幽霊族の身を犠牲にする習わしを続けてきたと水木に語りかけます。その際に次のような趣旨の一言を発するのですが、これが強烈です。

「我が龍賀は、そのため（筆者註：時貞の理想を実現すること）の崇高な義務がある者なのです。大義のための犠牲となるなら、幽霊族も本望でしょう」

当該シーンの直後、話を聞いていた、水木の回想がオーバーラップします。

「お前たちは大義のために死ぬるのだ」「本望だと思え」。戦時中、出征先の南方戦線で、自らを含む兵士たちに玉砕を強いてきた上官の言葉でした。原作者の故・水木しげるさんの従軍体験が重なる演出です。

怒りの感情を変えた鑑賞体験

「大義」を盾に、命をもてあそぶ――。戦争の記憶と共に流れる、乙米のセリフを初めて耳にしたとき、言いようのない怒りが込み上げてきました。気高さをまとう語句によって、陰惨な習俗を正当化する姿勢が、到底受け入れられなかったからです。

同時に、一連の言動が、「啓発ことば」が持つ負の側面に通ずるようにも思われました。彼女が共同体の権力者であることも相まって、言葉によって、より弱い立場に置かれた人々との非対称性を強めるという、共通項が見て取れたのです。

しかし2回、3回と鑑賞を重ねるうちに、こうした印象は徐々に変化していきました。物語の筋を知り、細部の描写に目を向ける余裕が生まれると、意外な設定に気づけることがあります。今回、その瞬間を何度か体験できました。そして、乙米の物言いが、ある種の諦念に裏打ちされていると感じるようになったのです。

龍賀の家に生まれた以上、課せられた使命を全うするしかないという、深い哀しみ。その感情を飲み込むため、彼女はくだんのセリフを、自分自身に向けても発していたのではないか……。筆者の脳裏に、いつしかそんな考えが浮かんでいました。

「約束」が人間味を深めてくれた

乙米の言葉に触れて、思い起こしたことがあります。三木さんのコメントです。

三木さんは「私たちは会話をする際に、コミュニケーションの前提となる『約束』を、相手と交わしていると考えます」「会話の参加者は、『約束』の趣旨にふさわしい行動を取るよう要請される」と話していました。

　これは「共同的コミットメント」の説明ですが、三木さんはコミュニケーションが持つ同様の性質について、著書『言葉の風景、哲学のレンズ』（２０２３年、講談社）の中でも、「感謝」を例につづっています。

> 「ありがとう」と言っておきながら相手を邪険に扱うひとは、それによって不誠実であるとされたり、非難されたり、冷たい目で見られたり、信頼を失ったりするはずだ。それは、「ありがとう」と言うことによって交わされたはずの約束に、そのひとが反しているからだと考えられる。
>
> ——『言葉の風景、哲学のレンズ』

　翻り、『ゲ謎』の話題に立ち返ってみましょう。本編で、乙米はゲゲ郎や水木と言葉を交わしていました。自分が「龍賀の女」だと信じているように振る舞い、対話の相手である二人も「彼女は自らが龍賀の女だと信じている」と思って相対しているように見えます。

　このような条件の制約を受ける以上、乙米が仮に別の生き方を志向していたとしても、本音を対外的に表明するのは困難でしょう。「約束」を違（たが）えれば、それまでの発言との矛盾が生じ、ゲゲ郎たちとの会話を支える文脈が崩壊してしまうのですから。のみならず、自らが依拠する立場を失い、一族の者として積み重ねてきた行為が、丸ごと否定される事態にも陥りかねません。だからこそ、あえて「大義」という大仰な言葉を使い、冷酷さを示さざるを得ないところがあったのだろうと考えています。

目の前の人物と、自己の双方に適用される、コミュニケーション上の「約束」。その内容を踏まえた上で、乙米の人物像を捉え直してみると、途端にキャラクターの人間味が増し、愛おしささえ感じられるようになったのです。予想外の、不思議な体験でした。

「意識高め」な語句が醸す味わい

ここまでつづってきた文章は、個人の見解に過ぎません。しかし「意識高め」な語彙の向こう側にゆらめく、話者の心情を見通すことで、創作物を自分なりに咀嚼し、一層深い滋味を楽しめるのは確かではないでしょうか。

普段、批判的に理解している「啓発ことば」的な語句が、物語の解釈を進めるためのよすがにもなる。そんな発見に満ちた経験となりました。そして今回得られた視座は、言葉との適切な距離感を測る上でも役立つのではないか、と思っています。

おわりに

ここまで「啓発ことば」を巡る、長い道行きにお付き合いいただきました。できる限り多様な知見を取り入れながら、筆者個人の問題意識を深めてきたつもりですが、いかがでしたでしょうか？　各章において示してきた、いわゆる「意識高め」な語句や言い回しが持つ特質を、読者各位がどのように捉えられたか、とても興味があります。

この本の下敷きになっているのは、「何となくキラキラした言葉」への違和感です。そうした感情が、どこから生じてくるのか、ずっと気になっていました。本書の原稿を執筆するため、様々な資料にあたったのですが、その一つに筆者が大学生の頃に書いた卒業論文があります。目を通してみると、疑問に取り組む上でヒントになりそうな一節を見つけました。拙い文章をさらす恥ずかしさをこらえつつ、少し引用してみます（表記は原文ママ）。

2011年の東日本大震災発生後、「がんばろう日本」・「私たちはひとつ」といった言葉が、主にマスメディアを通じて大量に流布された。これらは、一体誰のための言葉なのか、その宛先が判然としない。その点で安易で軽薄なものである上に、被災者の方々の苦しみや痛み、憤りなどを掬うことを、暗に拒絶するような言説でもある。それはつまり、個別具体的な経験を、「日本」・「私たち」といった大きな主語の内に閉じ込めてしまい、その上で曖昧な全体的意味を付与することによって、ひとりひとりの尊厳を傷つけかねない危険な言葉だということである。

今読み返してみると「さすがに捉え方が一面的すぎるよ！」と、自分で自分に突っ込みを入れたくなります。かつて東日本大震災の被災地支援ボランティアに携わっていたため、気持ちが昂ぶるところがあったのかもしれません。実際には、文中に登場する標語が、人々の不安に寄り添う場面も多かったことでしょう。一方で、あるフレーズが「個別具体的な経験を……大きな主語の内に閉じ込めてしま」うとの認識は、「啓発ことば」の性質に通ずるのではないか、と感じます。

本書の第一章で、「人財」を取り上げました。経済的・経営的観点から、人間性を査定する響きを伴う造語です。生きることの様相とは本来、一通りではありません。趣味を楽しんだり、友人や家族と過ごしたりする時間など、仕事以外にも多くの要素によって構成されています。そして私たちは四季が移ろうようにして、泣き、笑い、怒り、喜ぶ複雑な存在です。そうした込み入った事情を捨象し、「人財」の一語が示す前向きでシンプルな理想型に、一人ひとりの人格を押し込めてしまう。権力を持つ側の都合如何(いかん)で、人間の個別性・具体性を剝(は)ぎ取る作用にこそ、筆者が「啓発ことば」的な語彙に覚える、据わりの悪さの源泉を求められるのではないか。そんなふうに思うのです。

言葉が現実の見方を規定し、現実が言葉の用法に影響を与える循環的な社会で、私たちは暮らしています。日々出会う語句の中には、種々雑多な事象の意味を単純化し、受け止めやすくしてくれるものが少なくありません。「啓発ことば」も、同類であると理解できるでしょう。しかし、その効用に頼り過ぎると、先述した「人間の個別性・具体性を剝ぎ取る」という暴力性に、無自覚になってしまう恐れが否めません。だからこそ、世にあふれる言葉の本質と、背景に広がる景色とを見据える営みには、大きな意義があるはずです。本書が読み手のみなさんにとって、そのためのスコープとなるのであれば、著者としてこれに勝る幸せはありません。

最後に謝辞を述べたいと思います。4年ほど前、連載「啓発ことばディクショナリー」の構想について相談した際、「類例のない企画になる。書籍化を目指そう」と背中を押してくださった、withnews前編集長の奥山晶二郎さん。2023年に筆者が朝日新聞社を退社した後も、粘り強く原稿の執筆を支えていただいた、同媒体現編集長の水野梓さん。筆の遅さゆえ、原稿が出そろうまで3年以上もお待たせしたにもかかわらず、「対抗言論の書として期待している」と過分な励ましの言葉を寄せてくださった、朝日新聞出版編集者の松尾信吾さん。折に触れて連載記事の感想を共有し、筆者の心を豊かにしてくれた家族、友人、現・元職場の同僚のみなさん。本企画に関わっていただいた全ての識者と、校閲や印刷・デザイン関係者、そして読者の方々。どれか一つのピースが欠けても、この本は決して完成しなかったでしょう。人生で初めてとなる著書を、多くの人々と関わりながら編むことができたのは、またとない僥倖(ぎょうこう)です。心より感謝いたします。本当にありがとうございました。

2024年4月

神戸郁人

主な参考・引用文献一覧

【第一章】

・奥村誠次郎『設備投資の経営学』（実業之日本社）
・「令和5年度 年次経済財政報告 国民経済計算」内閣府（https://www5.cao.go.jp/j-j/wp/wp-je23/h11_data01.html）
・脇田保「ビジネスマン最前線10 能力開発制度 自己申告が咲かせた〝人財〟の花」実業之日本社『実業の日本』1969年5月15日号
・中辻三次「人材を人財たらしめる土壌づくりを！」清話会『先見経済』1984年 新年特大号
・江口泰広「戦略的人財の育成・1 戦略体質の再構築」池田書店『月刊総務』1984年7月号
・「倒産件数・負債額推移 1952年（昭和27年）〜全国企業倒産状況」東京商工リサーチ（https://www.tsr-net.co.jp/news/status/transition/index.html）
・「特集 買われる『人財』 捨てられる『人材』」実業之日本社『実業の日本』1994年10月号
・「特集 体験・参加型研修で〝自律型人財〟を育成する」産労総合研究所『企業と人材』2007年7月20日号

【第二章】

・「中部地区新春特集：主要卸8社に聞く＝日々の仕事を完結させるのが問屋（株）日本アクセス 中部支社・常務取締役中部支社長 後藤征一氏」2005年1月18日付『日本食糧新聞』11ページ
・「日本アクセス中部支社『中部アクセス会』開催」2005年7月18日付『日本食糧新聞』11ページ
・「インタビュー／全国の地域戦略支援 本社に地区サポート部新設 損保ジャパン日本興亜執行役員 重清剛氏」2015年7月24日付『日刊工業新聞』27ページ

・「板山 プロ1号 今季初出場で即結果 昇格前にゲキ! 矢野2軍監督 やりました!! 広島6－1阪神」2018年5月13日付『デイリースポーツ』3ページ
・「[門] 新年を迎えて 一日一日私らしく『顔晴る』」2019年1月5日付『愛媛新聞』22ページ
・「あけくれ 優しくなれた訳」2012年2月19日付『東京新聞』朝刊 10ページ

【第三章】

・「仕事のやりがいや出会いの大切さ語る 甘楽中で特別授業 NPOの森さん講演 甘楽」2018年2月7日付『上毛新聞』17ページ
・「地域の課題解決へ人材育成『夢・志事塾』設立総会 高い志 実現させる場」2018年5月14日付『中日新聞』朝刊 地方版（三重版）10ページ
・「連載企画／託す思い 県知事選〈1〉誇りと夢 共有したい 勤務条件や課題提言 林業の女性活躍を訴える 小田ちはるさん（美郷町）」2018年12月15日付『宮崎日日新聞』朝刊 23ページ
・「令和2年度 森林・林業白書」林野庁（https://www.rinya.maff.go.jp/j/kikaku/hakusyo/R2hakusyo/zenbun.html）
・「建築現場のプロを育成派遣 コプロHD、人材力で急成長 ナゴヤの名企業・コロナ危機に克つ 逆風でも成長（4）」2020年6月18日 日本経済新聞電子版（https://www.nikkei.com/article/DGXMZO60484060Y0A610C2L91000/）

【第四章】

・「ジョンソン常務上田和男氏――〝選ばれる〟企業に（談話室）」1990年10月3日付『日経産業新聞』17ページ
・「3橋時代 第4部 明石海峡大橋と四国（11）受け身 橋『どう使う』発想を」1998年4月4日付『愛媛新聞』1ページ

・「オフィスの窓から 比嘉 功 サービス産業の時代に準備を」1997年6月8日付『沖縄タイムス』朝刊 9ページ
・「輝業人たち：オンリーワンへの途 6 起業家／上 アイカムス・ラボ／岩手」2005年1月8日付『毎日新聞』地方版（岩手版）19ページ
・「輝業人たち：オンリーワンへの途 7 起業家／中 HMT／岩手」2005年1月9日付『毎日新聞』地方版（岩手版）21ページ
・「輝業人たち：オンリーワンへの途 岩手から 世界へ 元気発信 ／岩手」2005年1月1日付『毎日新聞』地方版（岩手版）27ページ
・「令和2年版 国土交通白書」国土交通省（https://www.mlit.go.jp/hakusyo/mlit/r01/hakusho/r02/pdf/kokudo.pdf）
・北野貴大『仕事のモヤモヤに効くキャリアブレイクという選択肢 次決めずに辞めてもうまくいく人生戦略』（KADOKAWA）

【第五章】

・「1年の集大成 歌声にのせて 多治見市南ケ丘中で全校合唱祭」2004年2月14日付『岐阜新聞』東濃地域版22ページ
・「第99回全国高校野球長野大会 中信 穂高商」2017年7月5日付『信濃毎日新聞』別刷 15ページ
・「高校ラグビー地区予選 東海大仰星 逆転花園 春の雪辱狙う 笑顔で全国連覇だ」2016年11月14日付『スポーツ報知』大阪版 12ページ
・「［窓 きらきらキラリ］友に感謝 特別な体育祭に」2016年10月27日付『新潟日報』朝刊 5ページ
・「豊田青年会議所が提唱 働き方改革 言葉掛けで ペップトーク『顔晴れ☆』『最幸です！』」2018年11月16日付『中日新聞』朝刊 地方版（豊田版）16ページ

・「勝つために厳しくは必ずしも結果に直結しない　ペップトークの活用でチームは劇的に変わる」２０１９年５月７日　東洋経済オンライン（https://toyokeizai.net/articles/-/274844）
・「パワースポットに甲州種ワイン、料理…　女子会で『最幸（さいこう）』の山梨満喫　県が首都圏女性招きツアー」２０１２年７月７日付『山梨日日新聞』22ページ
・「『最幸のまち　かわさき』へ　川崎の未来を、実行する。」神奈川県川崎市公式ウェブサイト（https://www.city.kawasaki.jp/shisei/category/37-13-3-0-0-0-0-0.html）
・川崎市長 福田紀彦公式サイト（https://fukuda-norihiko.com/）
・「時代の正体〈６１０〉盾とならぬ市の錯誤 川崎ヘイト集会問題」２０１８年６月10日　神奈川新聞 カナロコ（https://www.kanaloco.jp/news/social/entry-31442.html）

【第六章】

・飯間浩明『辞書を編む』（光文社新書）
・飯間浩明『知っておくと役立つ 街の変な日本語』（朝日新書）
・飯間浩明さんのツイッター（X）（@IIMA_Hiroaki）投稿　２０１２年６月18日（https://twitter.com/IIMA_Hiroaki/status/214644757920628736）
・「目」筑摩書房『言語生活』１９８３年１月号
・「一流企業と主要大学の71年度就職内定状況 商社・銀行・損保が早々と〝人財〟を確保」小学館『週刊ポスト』１９７０年６月５日号
・『日本国語大辞典 第二版』（小学館）
・『三省堂国語辞典 第八版』（三省堂）

【第七章】
・今野晴貴『ブラック企業　日本を食いつぶす妖怪』（文春新書）
・今野晴貴『ブラック企業２　「虐待型管理」の真相』（文春新書）
・今野晴貴『ブラック企業から身を守る！会社員のための「使える」労働法』（イースト・プレス）
・今野晴貴『ストライキ２・０　ブラック企業と闘う武器』（集英社新書）
・今野晴貴『賃労働の系譜学　フォーディズムからデジタル封建制へ』（青土社）
・「労働時間（Hours worked）」経済協力開発機構（https://www.oecd.org/tokyo/statistics/hours-worked-japanese-version.htm）
・「令和３年版過労死等防止対策白書」厚生労働省（https://www.mhlw.go.jp/stf/wp/hakusyo/karoushi/21/index.html）
・吉田裕『日本軍兵士――アジア・太平洋戦争の現実』（中公新書）
・「『３６５日24時間働こう』……ワタミの〝思想教育〟はいまも続いていた　創業者・渡邉美樹氏の『お言葉』の感想強制も」２０２０年10月14日　文春オンライン（https://bunshun.jp/articles/-/40843）
・「コロナ危機下の転職の動向～減る転職者数・増える転職希望者数～」２０２１年５月28日　第一生命経済研究所（https://www.dlri.co.jp/report/macro/155140.html）
・「ＱＢハウスの理美容師、本社に団体交渉を要求　改善求めた２つの要点」２０２２年４月５日　朝日新聞デジタル（https://www.asahi.com/articles/ASQ4564WQ3ZULZU00B.html）
・「ＱＢハウス美容師、残業代求めて提訴　『実質的な雇用主は本社』」２０２３年２月15日　朝日新聞デジタル（https://www.asahi.com/articles/DA3S15555814.html）
・「ローソン本部と元従業員が和解　長時間労働めぐる訴訟」２０２１年６月10日　朝日新聞デジタル（https://www.

asahi.com/articles/ASP6B5K4KP6BPTIL01F.html）

・「新入社員の自殺で労災認定　『特別な出来事』なくても」２０１４年9月18日　日本経済新聞電子版（https://www.nikkei.com/article/DGXLASDG1800X_Y4A910C1CC0000/）

・「『ワタミの宅食』の営業所長がワタミを提訴　ワタミ側が背後で『扇動』か?」２０２１年３月31日　Ｙａｈｏｏ！ニュース（https://news.yahoo.co.jp/expert/articles/12ef16460e20f0624052622dab7afa2a0b0b23b3）

・「『ホワイト企業』宣伝のワタミで月１７５時間の残業　残業代未払いで労基署から是正勧告」２０２０年９月28日　Ｙａｈｏｏ！ニュース（https://news.yahoo.co.jp/expert/articles/4712758fe2d902fcfba9372171da5c4bc708a26d）

・「ワタミ過重労働の『内部告発者』はなぜ同僚たちから訴えられたのか　謎の背景に迫る」２０２１年３月11日　弁護士ドットコムニュース（https://www.bengo4.com/c_5/n_12621/）

・「ワタミ株式会社らと当ユニオン組合員の訴訟の終了について」２０２１年９月８日　総合サポートユニオン　ｎｏｔｅ（https://note.com/sguion/n/nd351c647592b）

・「訴訟の終了について　ワタミ株式会社」２０２１年９月８日　Ｂ to Ｂプラットフォーム 業界Ch（https://b2b-ch.infomart.co.jp/news/detail.page?IMNEWS1=2789742）

・「テレビ各局で『ＡＤ』の呼称廃止へ　最下層扱いにメス…新名称でどうなる?」２０２２年１月14日　東スポＷＥＢ（https://www.tokyo-sports.co.jp/articles/-/142172）

・「（もっと知りたい）なくせ長時間労働：２　新しい制度、『高プロ』って大丈夫?」２０１９年５月８日　朝日新聞デジタル（https://www.asahi.com/articles/DA3S14006338.html）

・「高プロの働き過ぎ防止策　実効性に懸念も」２０２１年６月30日　朝日新聞デジタル（https://www.asahi.com/articles/ASP6Y6WGCP6YULFA02Q.html）

【第八章】

・辻田真佐憲『たのしいプロパガンダ』（イースト新書Q）
・辻田真佐憲『文部省の研究 「理想の日本人像」を求めた百五十年』（文春新書）
・辻田真佐憲『超空気支配社会』（文春新書）
・辻田真佐憲・西田亮介『新プロパガンダ論』（ゲンロン叢書）
・「日露戦争史 海上の戦い 日本海海戦（1）日露戦争特別展Ⅱ 開戦から日本海海戦まで 激闘５００日の記録」国立公文書館アジア歴史資料センター（https://www.jacar.go.jp/nichiro2/sensoushi/kaijou_08_detail.html）
・池田一之「新聞ジャーナリズムの思想・行動 国家の進路選択時にみる一考察〔上〕」明治大学政治経済研究所『政經論叢』54巻４／６号 １９８６年4月
・「Amazon Flexは失敗する?·アマゾンの自前物流を阻む〝日本の事情〟」２０１９年8月15日 ビジネス＋ＩＴ（https://www.sbbit.jp/article/cont1/36753）
・amazon FLEX 公式サイト（https://flex.amazon.co.jp/）
・「格付けされるギグワーカー『スコア地獄のよう』 仕事失うケースも」２０２２年5月1日 朝日新聞デジタル（https://www.asahi.com/articles/ASQ4W5J64Q3YULEI008.html）
・「（時時刻刻）孫請け配達員、アマゾン労組 『偽装委託、実は労働者』」２０２２年6月14日 朝日新聞デジタル（https://www.asahi.com/articles/DA3S15323357.html）
・「職業安定行政史 第4章 昭和時代（1）（戦前、戦中期）」一般財団法人日本職業協会（http://shokugyo-kyokai.or.jp/shiryou/gyouseishi/04-3.html）
・「市政情報 応徴士時代の思い出（今だからこそ 二部 苦しい生活を乗り越えて）」２０２０年11月24日 千葉県成田市公式サイト（https://www.city.narita.chiba.jp/shisei/page0119_00049.html）

・「勤労新体制確立要綱」国立国会図書館リサーチ・ナビ（https://rnavi.ndl.go.jp/politics/entry/bib00284.php）
・中央教育審議会「後期中等教育の拡充整備について（第20回答申（昭和41年10月31日））」文部科学省（https://www.mext.go.jp/b_menu/shingi/chuuou/toushin/661001.htm）
・「就寝は『4時、5時』 パナ過労自殺、子煩悩な夫の変わりゆく日常」２０２１年12月７日 朝日新聞デジタル（https://www.asahi.com/articles/ASPD66GDYPD3PISC008.html）
・「用語解説 経営 マズローの欲求階層説 Maslow's hierarchy of needs」野村総合研究所（https://www.nri.com/jp/knowledge/glossary/lst/ma/maslow）
・「2分でわかる！〝マズローの欲求5段階説〟」２０２３年８月17日 ダイヤモンド・オンライン（https://diamond.jp/articles/-/324325）
・鈴木秀美「ドイツの民衆扇動罪と表現の自由 ヒトラー『わが闘争』再出版を契機として」日本大学法学会『日本法學』第82巻 第3号 ２０１６年12月
・川喜田敦子「ドイツにおける現代史教育 ナチの過去に関する歴史教育の変遷と展望」東京大学大学院総合文化研究科・教養学部ドイツ・ヨーロッパ研究室『ヨーロッパ研究』第４号 ２００４年

【第九章】

・赤木智弘『「当たり前」をひっぱたく 過ちを見過ごさないために』（河出書房新社）
・赤木智弘『若者を見殺しにする国』（朝日文庫）
・雨宮処凛・萱野稔人・赤木智弘・阿部彩・池上正樹・加藤順子『下流中年 一億総貧困化の行方』（ＳＢ新書）
・「令和３年度『能力開発基本調査』の結果を公表します」厚生労働省（https://www.mhlw.go.jp/stf/houdou/newpage_00105.html）

・「令和3年賃金構造基本統計調査　結果の概況」厚生労働省（https://www.mhlw.go.jp/toukei/itiran/roudou/chingin/kouzou/z2021/index.html）
・「『非正規雇用』の現状と課題」厚生労働省（https://www.mhlw.go.jp/content/001214080.pdf）
・「就活生に聞いた『ブラック企業／ホワイト企業』への考え（キャリタス就活学生モニター調査）」ディスコ（https://www.disc.co.jp/press_release/6831/）
・「最低賃金近くで働く人が10年で倍増　非正規や低賃金正社員にコロナ禍も追い打ち」２０２１年9月14日　東京新聞ＴＯＫＹＯＷｅｂ（https://www.tokyo-np.co.jp/article/130718）

【第十章】

・「炎上した『育休中にリスキリングを』提案　育児に欠けた視点とは」２０２３年2月12日　朝日新聞デジタル（https://www.asahi.com/articles/ASR2B6VXFR27UTFL00Y.html）
・「リスキリングとは　ＤＸ時代の人材戦略と世界の潮流」第2回 デジタル時代の人材政策に関する検討会 資料２－２ 経済産業省（https://www.meti.go.jp/shingikai/mono_info_service/digital_jinzai/pdf/002_02_02.pdf）
・ルイス・エメライ著、鈴木哲太郎訳「雇用不安時代への提案 先進国型雇用不安への具体的対策」中央公論社『季刊中央公論経営問題』昭和五十三年冬季特別号　１９７８年12月
・「生涯教育について（答申）（第26回答申（昭和56年6月11日））」文部科学省（https://www.mext.go.jp/b_menu/shingi/chuuou/toushin/810601.htm）
・中央教育審議会「リカレント教育の日本的文脈」先端教育オンライン（https://www.sentankyo.jp/articles/2506ecee-4892-494e-b3b0-90eb4422ca1c）
・「学制百二十年史　第三編　教育・学術・文化・スポーツの進展と新たな展開　第二章　生涯学習　第一節　生涯学

習と文教行政　一　生涯学習概念の系譜」文部科学省（https://www.mext.go.jp/b_menu/hakusho/html/others/detail/1318300.htm）
・エヴァ・フェダー・キテイ著、岡野八代・牟田和恵監訳『愛の労働あるいは依存とケアの正義論』（白澤社発行・現代書館発売）
・「令和3年度雇用均等基本調査」厚生労働省（https://www.mhlw.go.jp/toukei/list/71-r03.html）

【第十一章】

・堤未果・湯浅誠『正社員が没落する――「貧困スパイラル」を止めろ！』（角川ｏｎｅテーマ21）
・堤未果『政府は必ず嘘をつく 増補版』（角川新書）
・堤未果『政府はもう嘘をつけない』（角川新書）
・堤未果『日本が売られる』（幻冬舎新書）
・堤未果・中島岳志・大澤真幸・高橋源一郎『支配の構造　国家とメディア――世論はいかに操られるか』（ＳＢ新書）
・堤未果『株式会社アメリカの日本解体計画　「お金」と「人事」で世界が見える』（経営科学出版）
・堤未果『デジタル・ファシズム　日本の資産と主権が消える』（ＮＨＫ出版新書）
・堤未果『ルポ 食が壊れる　私たちは何を食べさせられるのか？』（文春新書）
・堤未果『堤未果のショック・ドクトリン　政府のやりたい放題から身を守る方法』（幻冬舎新書）
・「マイナンバーカードって必要なの⁉」２０２１年2月10日　ＮＨＫ政治マガジン（https://www.nhk.or.jp/politics/articles/feature/53273.html）
・「マイナンバーカード交付状況について」総務省（https://www.soumu.go.jp/kojinbango_card/kofujokyo.html）
・国際大学グローバル・コミュニケーション・センター「諸外国における国民ＩＤ制度の現状等に関する調査研究報

告書」 総務省 (https://www.soumu.go.jp/johotsusintokei/linkdata/h24_04_houkoku.pdf)
・「世界の『マイナンバー』の現状は? カードは本当に必要か」 2023年6月16日 朝日新聞デジタル (https://www.asahi.com/articles/ASR6H5K78R6HUHBI00S.html)
・「『マイナンバーカード+保険証』一体化はG7で日本だけ なぜ独自路線?各国の現状と比べてみた」 2023年7月11日 東京新聞 TOKYO Web (https://www.tokyo-np.co.jp/article/262212)
・「マイナンバー事業 9社で772億円独占 国民のプライバシー食い物」 2015年11月3日 しんぶん赤旗 (https://www.jcp.or.jp/akahata/aik15/2015-11-03/2015110301_01_1.html)
・「『そうだ!マイナカード取得しよう』Tシャツで、河野氏が新たな方針表明」 2023年2月12日 FNNプライムオンライン (https://www.fnn.jp/articles/-/485148)
・「トラブル続きなのに『新マイナカード』構想 コストは?自治体の手間は? デジタル庁『想定できない』」 2023年6月7日 東京新聞 TOKYO Web (https://www.tokyo-np.co.jp/article/255089)
・「(時時刻刻) マイナ推進、止まらぬ政府 現行保険証『廃止』変えず 首相、トラブル陳謝」 2023年6月13日 朝日新聞デジタル (https://www.asahi.com/articles/DA3S15660552.html)
・AGRA公式サイト (https://agra.org)
・“Africa's green revolution initiative has faltered: why other ways must be found” 2021年9月14日 THE CONVERSATION (https://theconversation.com/africas-green-revolution-initiative-has-faltered-why-other-ways-must-be-found-167624)
・「ワクチンパスポート『衛生パス』義務化に怒るフランス人 『自由奪われる』毎週のデモ」 2021年12月11日 朝日新聞GLOBE+ (https://globe.asahi.com/article/14499459)
・「カナダ首相、緊急権限発動 トラック運転手らのデモへの対処で」 2022年2月15日 REUTERS (https://

jp.reuters.com/article/canada-truck-idJPKBN2KJ259)
・"Mayor Adams Commits to Reducing City's Food-Based Emissions by 33 Percent by 2030 After Releasing new Greenhouse Gas Emissions Inventory Incorporating Emissions From Food" ２０２３年4月17日 The Official Website of the City of New York (https://www.nyc.gov/office-of-the-mayor/news/263-23/mayor-adams-commits-reducing-city-s-food-based-emissions-33-percent-2030-after-releasing#/0)
・「パソコン・スマホを学習に使う時間が長いほど、子どもの学力が下がるのはなぜか」２０２３年5月17日 ニューズウィーク日本版 (https://www.newsweekjapan.jp/stories/world/2023/05/post-101652.php)
・「『学校における1人1台端末環境』公式プロモーション動画」文部科学省/mextchannel (@mextchannel) のＹｏｕＴｕｂｅ (https://www.youtube.com/watch?v=K0wxp_vyRKM)

【第十二章】

・本田由紀『多元化する「能力」と日本社会　ハイパー・メリトクラシー化のなかで』(ＮＴＴ出版)
・本田由紀『社会を結びなおす　教育・仕事・家族の連携へ』(岩波ブックレット)
・本田由紀『教育は何を評価してきたのか』(岩波新書)
・本田由紀『「日本」ってどんな国?　国際比較データで社会が見えてくる』(ちくまプリマー新書)
・「２０１８年度 新卒採用に関するアンケート調査結果」一般社団法人日本経済団体連合会 (https://www.keidanren.or.jp/policy/2018/110.pdf)
・「２０２４年卒の新卒採用ルール―これまでの変遷、スケジュールや準備すべきことを解説」ＨＵＭＡＮ ＣＡＰＩＴＡＬサポネット (https://saponet.mynavi.jp/column/detail/s_saiyo_s00_s20220729143712.html)
・吉本隆男「日本型就職システムの変遷」公益社団法人都市住宅学会『都市住宅学』第99号　２０１７年秋

・「2023卒 採用・就職活動の総括」ダイヤモンド・ヒューマンリソース（https://www.diamondhr.co.jp/report/23sokatsu.pdf）
・中央教育審議会「文部省　審議会答申等（21世紀を展望した我が国の教育の在り方について（第一次答申））」1996年7月19日 文部科学省（https://www.mext.go.jp/b_menu/shingi/chuuou/toushin/960701.htm）
・"PISA 2018 Results WHAT SCHOOL LIFE MEANS FOR STUDENTS' LIVES VOLUME III" 経済協力開発機構（https://www.sel-gipes.com/uploads/1/2/3/3/12332890/pisa_2018_results_volumen_iii.pdf）
・「教育基本法」文部科学省（https://www.mext.go.jp/b_menu/kihon/about/mext_00003.html）
・「平成29・30・31年改訂学習指導要領（本文、解説）」文部科学省（https://www.mext.go.jp/a_menu/shotou/new-cs/1384661.htm）
・「採用と大学改革への期待に関するアンケート結果」2022年1月18日　一般社団法人日本経済団体連合会（https://www.keidanren.or.jp/policy/2022/004_kekka.pdf）
・「（社説）道徳の教科書　窮屈な検定姿勢改めよ」2023年3月30日　朝日新聞デジタル（https://www.asahi.com/articles/DA3S15596083.html）
・「【調査報告】人事担当者に聞いた！企業の『リスキリング』に関する実態調査 リスキリングが必要な企業は84・9％ 29・3％がデジタル人材育成・DX化推進に『今すぐ必要』一方で実施企業は23・3％のみ　時間・人手・費用がネック　従業員側の主体性も課題」2023年2月8日　ワークポート（https://www.workport.co.jp/corporate/news/detail/831.html）

【第十三章】

・吉川浩満『哲学の門前』（紀伊國屋書店）

・三木那由他『グライス 理性の哲学　コミュニケーションから形而上学まで』（勁草書房）
・三木那由他『言葉の展望台』（講談社）
・三木那由他『会話を哲学する　コミュニケーションとマニピュレーション』（光文社新書）
・三木那由他『言葉の風景、哲学のレンズ』（講談社）
・「旅客サービスの向上」京王電鉄株式会社公式サイト（https://www.keio.co.jp/group/traffic/improve_service/index.html）
・『明鏡国語辞典 第三版』（大修館書店）
・吉田明雄「さよなら『婦人子供専用車』こんにちは『シルバーシート』」電気車研究会『鉄道ピクトリアル』1973年12月号
・「第1部 第3章 第1節 高齢者・障害者等にも利用しやすい公共交通／コラム 優先席」運輸省『平成10年度 運輸白書―新しい視点に立った交通運輸政策―』
・「RAIL NEWS　JR東日本／『シルバーシート』から『優先席』へ」交友社『鉄道ファン』1997年6月号
・映画『鬼太郎誕生 ゲゲゲの謎』公式サイト（https://www.kitaro-tanjo.com）
・「鬼太郎誕生 ゲゲゲの謎：興収26・5億円突破　185万人動員　動員ランキングで再びトップ10入り」2024年2月13日　MANTANWEB（https://mantan-web.jp/article/20240213dog00m200035000c.html）
・「第47回 日本アカデミー賞 優秀賞決定！」日本アカデミー賞公式サイト（https://www.japan-academy-prize.jp/prizes/47.html）

神戸郁人 かんべ・いくと
1988年、東京都生まれ。上智大学文学部哲学科卒業後、記者枠で一般社団法人共同通信社に入社。福岡支社、札幌支社、山形支局で勤務し、東日本大震災関連報道などに取り組む。2018年から2023年まで、朝日新聞社のウェブメディア「withnews」にて記者・編集者の職務を担い、宗教や障害、オタク文化、自己啓発本といったテーマについて取材。「人間が生きるための糧とは何か」との問題意識を持ち、記事を執筆した。その後もライフワークとしてライター活動を続けている。カレーとうさぎが好き。

朝日新書
953

うさんくさい「啓発(けいはつ)」の言葉(ことば)

人“財”って誰のことですか?

2024年4月30日第1刷発行

著　者　神戸郁人

発行者　宇都宮健太朗
カバーデザイン　アンスガー・フォルマー　田嶋佳子
印刷所　TOPPAN株式会社
発行所　朝日新聞出版
〒104-8011　東京都中央区築地5-3-2
電話　03-5541-8832（編集）
　　　03-5540-7793（販売）

Published in Japan by Asahi Shimbun Publications Inc.
ISBN 978-4-02-295263-9
定価はカバーに表示してあります。
落丁・乱丁の場合は弊社業務部(電話03-5540-7800)へご連絡ください。
送料弊社負担にてお取り替えいたします。

朝日新書

ブッダに学ぶ 老いと死

山折哲雄

俗人の私たちがブッダのように悟れるはずはない。しかし、紀元前500年ごろに80歳の高齢まで生きたブッダの人生、特に悟りを開く以前の「俗人ブッダの生き方」と「最晩年の姿」に長い老後を身軽に生きるヒントがある。坐る、歩く、そして断食往生まで、実践的な知恵を探る。

ハーバードが教える最高の長寿食

満尾 正

ハーバードで栄養学を学び、アンチエイジング・クリニックを開院する医師が教える、健康長寿を実現する食事術。正解は、1970年代の和食。和食は、青魚や緑の濃い野菜、みそや納豆などの発酵食品をバランスよく摂れる。毎日の食事から、健康診断の数値別の食養生まで伝授。

藤原道長と紫式部
「貴族道」と「女房」の平安王朝

関 幸彦

光源氏のモデルは道長なのか？　紫式部の想い人は本当に道長なのか？　摂関政治の最高権力者・道長と王朝文学の第一人者・紫式部を中心に日本史上最長400年の平安時代の真実に迫る！　NHK大河ドラマ「光る君へ」を読み解くための必読書。

沢田研二

中川右介

芸能界にデビューするや、沢田研二はたちまちスターに。だが、「時代の寵児」であり続けるためには、過酷な競争に生き残らなければならない。熾烈なヒットチャート争いと賞レースを、いかに制したか。ジュリーの闘いの全軌跡。圧巻の情報量で、歌謡曲黄金時代を描き切る。

朝日新書

老後をやめる
自律神経を整えて生涯現役

小林弘幸

定年を迎えると付き合う人も変わり、仕事という日常もなくなる。環境の大きな変化は自律神経が大きく乱れ「老い」を加速させる可能性があります。いつまでも現役でいるためには老後なんて区切りは不要。人生を楽しむのに年齢の壁なんてない！　名医が説く超高齢社会に効く心と体の整え方。

限界分譲地
繰り返される野放図な商法と開発秘話

吉川祐介

全国で急増する放棄分譲地「限界ニュータウン」売買の驚愕の手口を明らかにする。高度成長期からバブル期にかけて「超郊外住宅」が乱造された経緯に迫り、原野商法やリゾートマンションの諸問題も取り上げ、時流に翻弄される不動産ビジネスへの警鐘を鳴らす。

老いの失敗学
80歳からの人生をそれなりに楽しむ

畑村洋太郎

「老い」と「失敗」には共通点がある。長らく「失敗」を研究してきた「失敗学」の専門家が、80歳を超えて直面した現実を見つめながら実践する、「老い」に振り回されない生き方とは。老いへの対処に生かすことができる失敗学の知見を紹介。

朝日新書

オホーツク核要塞
歴史と衛星画像で読み解くロシアの極東軍事戦略

小泉 悠

超人気軍事研究家が、ロシアによる北方領土を含めたオホーツク海における軍事戦略を論じる。この地で進む原子力潜水艦配備の脅威を明らかにし、終わりの見えないウクライナ戦争との関連を指摘し、日本の安全保障政策はどうあるべきか提言する。

人類の終着点
戦争・AI・ヒューマニティの未来

エマニュエル・トッド
マルクス・ガブリエル
フランシス・フクヤマ ほか

各地で頻発する戦争により、世界は「暗い過去」へと逆戻りした。一方で、飛躍的な進化を遂げたAIは、ビッグテックという新たな権力者と結託し、自由社会を脅かす。今後の人類が直面する「歴史の新たな局面」を、世界最高の知性とともに予測する。

ルポ 出稼ぎ日本人風俗嬢

松岡かすみ

性風俗業で海外に出稼ぎに行く日本女性が増えている。本書は出稼ぎ女性たちの暮らしや仕事内容を徹底取材。なぜリスクを冒して海外で身体を売るのか。貧しくなったこの国で生きていくとはどういうことか。比類なきルポ。

パラサイト難婚社会

山田昌弘

個人化の時代における「結婚・未婚・離婚」は何を意味するか？ 3組に1組が離婚し、60歳の3分の1がパートナーを持たず、男性の生涯未婚率が3割に届こうとする日本社会はどこへ向かうのか？ 家族社会学の第一人者が課題に挑む、リアルな提言書。

財務3表一体理解法「管理会計」編

國貞克則

「財務3表」の考え方で「管理会計」を読み解くと、どうなるか。原価計算や損益分岐などお馴染みの会計テーマが独特の視点で解説されていく。経営目線からの投資評価や事業再生の分析は「実践活用法」からほぼ踏襲。新しい「会計本」が誕生！

朝日新書

何が教師を壊すのか
追いつめられる先生たちのリアル

朝日新聞取材班

定額働かせ放題、精神疾患・過労死、人材使い捨て、クレーム対応……志望者大激減と著しい質の低下。追いつめられる教員の実態。先生たちのリアルな姿を描き話題の朝日新聞「いま先生は」を再構成・加筆して書籍化。

米番記者が見た大谷翔平
メジャー史上最高選手の実像

ディラン・ヘルナンデス
サム・ブラム
志村朋哉／聞き手・訳

本塁打王、2度目のMVPを獲得し、プロスポーツ史上最高額でロサンゼルス・ドジャースへの移籍が決まった大谷翔平。渡米以来、その進化の過程を見続けた米国のジャーナリストが語る「二刀流」のすごさとは。データ分析や取材を通して浮かび上がってきた独自の野球哲学、移籍後の展望など徹底解説する。

うさんくさい「啓発」の言葉
人〝財〟って誰のことですか？

神戸郁人

「人材→人財」など、ポジティブな響きを伴いつつ、時に働き手を過酷な競争へと駆り立てる言い換えの言葉。こうした〝啓発〟の言葉を最前線で活躍する識者は、どのように捉えているのか。そして、何がうさんくさいのか。堤未果、本田由紀、辻田真佐憲、三木那由他、今野晴貴の各氏が斬る。